Ciências Sociais
direção de Tamás Szmrecsányi

CIÊNCIAS SOCIAIS

Títulos publicados

sob a direção de José de Souza Martins

Teoria Sociológica, P. Birnbaum e F. Chazel
Os Herdeiros da Terra, Margarida Maria Moura
Sobre o Modo Capitalista de Pensar, José de Souza Martins (4.ª edição)
Colonos do Vinho, José Vicente Tavares dos Santos (2.ª edição)
O Estado e a Burocratização do Sindicato no Brasil, Heloísa Helena Teixeira de Souza Martins
A Mulher Operária, Jessita Martins Rodrigues
A Reprodução da Desigualdade, Carmen Cinira Macedo
Amazônia: no Rastro do Saque, Lúcio Flávio Pinto
Hierarquia e Simbiose: Relações Intertribais no Brasil, Alcida Rita Ramos
Expropriação e Violência, José de Souza Martins (2.ª edição)

sob a direção de Tamás Szmrecsányi

A Participação Social dos Excluídos, Marialice Mencarini Foracchi
A Morte e os Mortos na Sociedade Brasileira, José de Souza Martins (org.)
Samba Negro, Espoliação Branca, Ana Maria Rodrigues
Formação Industrial do Brasil e Outros Estudos, José Carlos Pereira
Mão-de-Obra e Condições de Trabalho na Indústria Automobilística Brasileira, José Sérgio R. C. Gonçalves

O CATIVEIRO DA TERRA

Bibliografia de José de Souza Martins

a) *Livros*

1. *Conde Matarazzo — O Empresário e a Empresa* (Estudo de Sociologia do Desenvolvimento), (1.ª edição: 1967), Editora Hucitec, 2ª edição/2ª reimpressão, São Paulo, 1976.
2. *A Imigração e a Crise do Brasil Agrário*, Livraria Pioneira Editora, São Paulo, 1973.
3. *Capitalismo e Tradicionalismo* (Estudos sobre as contradições da sociedade agrária no Brasil), Livraria Pioneira Editora, São Paulo, 1975.
4. *Sobre o Modo Capitalista de Pensar* (1ª edição: 1978), Editora Hucitec, 4ª edição, São Paulo, 1986.
5. *Expropriação e Violência* (A questão política no campo) (1ª edição: 1980), Editora Hucitec, 2ª edição, São Paulo, 1982.
6. *O Cativeiro da Terra*, (1ª edição: 1979), Editora Hucitec, 3ª edição, São Paulo, 1986.
7. *Os Camponeses e a Política no Brasil* (As lutas sociais no campo e seu lugar no processo político) (1ª edição: 1981), Vozes, 2ª edição, Petrópolis, 1985.

b) *Antologias*

1. *Introdução Crítica à Sociologia Rural*, Editora Hucitec, São Paulo, 1981.
2. *A Morte e os Mortos na Sociedade Brasileira*, Editora Hucitec, São Paulo, 1983.
3. (Em colaboração com Marialice Mencarini Foracchi), *Sociologia e Sociedade* (Leituras de Introdução à Sociologia), (1ª edição: 1977), LTC - Livros Técnicos e Científicos Editora S.A., 10ª tiragem, Rio de Janeiro, 1985.

c) *Capítulos de livros*

1. "Mercato del lavoro ed emigrazione italiana in Brasile", *in* R. De Felice, *Cenni Storici Sulla Emigrazione Italiana nelle Americhe e in Australia*, Franco Angeli, Milano, 1979.
2. "Fighting for land: indians and posseiros in Legal Amazonia", *in* Françoise Barbira-Scazzocchio (ed.), *Land, People and Planning in Contemporary Amazonia*, Centre of Latin American Studies Occasional Publication n.º 3, Cambridge University, Cambridge, 1980.
3. "The State and the Militarization of the Agrarian Question in Brazil", *in* Mariane Schmink e Charles H. Wood (eds.), *Frontier Expansion in Amazonia*, University of Florida Press, Gainesville, 1984.
4. "Brasil: Muita terra sem gente, muita gente sem terra", *in* Frei Betto *et allii*, *Desemprego, Causas e Conseqüências*, Edições Paulinas, São Paulo, 1984.
5. "A Igreja face à política agrária do Estado", *in* Vanilda Paiva (org.), *Igreja e Questão Agrária*, Edições Loyola, São Paulo, 1985.
6. "Del esclavo al asalariado en las haciendas de café, 1880-1914: La génesis del trabajador volante", *in* Nicolás Sánchez-Albornoz (comp), *Población y Mano de Obra en America Latina*, Alianza Editorial, Madrid, 1985.

d) *Caderno*

Agriculture and Industry in Brazil: Two Studies, Working Papers n.º 27, Centre of Latin American Studies, University of Cambridge, Cambridge, 1977.

JOSÉ DE SOUZA MARTINS
Universidade de São Paulo

O CATIVEIRO DA TERRA

Terceira edição

EDITORA HUCITEC
São Paulo, 1986

Capa: Yvonne Saruê.

As edições anteriores deste livro foram publicadas por

LECH — Livraria Editora Ciências Humanas Ltda.
Rua Sete de Abril, 264, subsolo B, sala 5, São Paulo, Brasil,

como volume 6 de sua coleção "Brasil Ontem e Hoje", dirigida por Reinaldo X. Carneiro Pessoa e Braz José de Araújo.

A
Veridiana e Juliana,
minhas filhas,
concebidas na Esperança
que liberta;
ninadas com canções
aprendidas e vividas
no cativeiro da terra,
no cafezal,
por meus avós imigrantes
e colonos.

ÍNDICE

APRESENTAÇÃO

Venho orientando a minha pesquisa teórica e empírica pelo problema da produção capitalista de relações não-capitalistas de produção. Diante dos impasses e simplificações contidos no já cansativo debate sobre feudalismo e capitalismo, como "tipos macro-estruturais" pelos quais se poderia definir a sociedade brasileira, no todo ou em parte, conforme o momento, ou a sua "transição", procurei, como tantos outros pesquisadores, trabalhar criticamente sobre o tema.

O que parece nos preocupar a todos é a efetiva natureza das contradições que determinam o movimento desta sociedade, que definem a natureza das suas transformações, ocorridas ou em curso. A mera reflexão teórica, o abusivo ensaísmo de gabinete, não vai nos levar muito longe. Do mesmo modo, o empirismo sem sustentação teórica, de indagações superficiais, só servirá para confundir ainda mais.

Crêem alguns que o apego à classificação conceitual, à simples rotulação, é a forma correta de produzir uma explicação dialética. Frutifica daí a multiplicação de *modos de produção* e de *formações econômico-sociais.* Quanto à primeira noção, vem sendo utilizada como uma espécie de salva-vidas do saber. Alguns autores, ao que parece baseados numa leitura evolucionista d'*O Capital,* tem pescado em várias passagens desse livro, particularmente no seu tomo I, o mais lido, referências a múltiplos modos de produção. O exame atento dos três volumes mostra, entretanto, que Marx não dá a essa noção o peso formal que lhe dão alguns intelectuais contemporâneos, particularmente da América Latina. Não que a concepção não seja essencial. O que para Marx, nesse caso, não tem grande importância imediata é a rotulação das relações sociais. Para ele, o mais fundamental é a reconstrução científica do *processo social,* do movimento da sociedade. Um modo de produção é um modo como se dá esse movimento. O conceito vem no final do

1

processo de pensamento e não no começo. Se reduzimos o modo de produção a um momento, a uma etapa econômica, como faz Sweezy e o fazem os adeptos do que Lukács definia como "marxismo vulgar", desfiguramos o processo histórico e introduzimos na sua análise um entendimento economicista, positivista e a-histórico. Por isso mesmo, dependendo do andamento da análise, Marx utiliza diferentes denominações para o mesmo modo de produção — modo de produção capitalista, modo de produção especificamente capitalista, modo de produção da grande indústria, por exemplo. Algumas vezes usa a noção de modo de produção para se referir ao processo de trabalho; outras vezes usa-a para tratar do processo de valorização. Isso não o faz perder de vista a concepção nuclear de modo de produção, que é a de modo historicamente determinado de exploração da força de trabalho no processo de produção, no qual são produzidas também as relações sociais fundamentais de uma sociedade. Quando ele se refere a modo de produção camponês, por exemplo, está se referindo a processo camponês de trabalho, que não exclui a sujeição do trabalho camponês ao capital, fato que não deveria ser perdido de vista diante de um estudo sobre a produção do capital e sobre a sua reprodução capitalista. Isso não impediu uma alvoroçada produção de estudos em torno de um modo (histórico) de produção camponês, inclusive aqui no Brasil.

Do mesmo modo, a noção de formação econômico-social foi completamente desfigurada. Petrificada e reificada pelo raciocínio positivista, substitui hoje em dia a noção funcionalista de *sistema social*. Isso pode ser facilmente comprovado. Em autores em cujos trabalhos se lia "sistema social" há quinze anos atrás, hoje se pode ler "formação econômico-social", sem que o processo de pensamento subjacente aos conceitos tenha sofrido transformação correspondente à mudança conceitual. Um sinal evidente de que estamos diante do que Lefebvre classifica como *totalidade fechada,* não-dialética, é a aplicação arbitrária desse conceito a determinados espaços sociais, como a América Latina (Marta Harnecker) ou o Brasil (como fazem vários autores). Podemos ter, assim, tantas formações quantas quisermos, tal como ocorria com o emprego do conceito de sistema, aplicado a qualquer totalidade arbitrariamente definida. Isso é bem o oposto da utilização dessa noção em autores clássicos que a formularam e desenvolveram, como Marx e Lênin, que a empregavam em relação à totalidade do processo social do capital e à totalidade do capitalismo, mas não em relação a uma região determinada ou a um país determinado. O núcleo da formação não é o espaço geográfico no qual se realiza, mas o seu desenvolvimento desigual, não o desenvolvimento *econômico* desigual das análises dualistas produzidas na perspectiva economicista e sim o desenvolvimento desigual das diferentes expressões sociais das contradições fundamentais da sociedade.

Preferi, por essas razões, conduzir a minha pesquisa empírica e a exposição dos seus resultados pelo caminho metodológico ortodoxo, que privilegia o concreto, o processo social. No meu modo de ver, decorre desse procedimento o que neste livro possa ser definido como descoberta. Num plano mais geral, reputo como importante, a partir da retomada da constatação de que o capital é um processo, desenvolvida por Marx, a observação de que o próprio capital engendra e reproduz relações não capitalistas de produção. Pude chegar a esse ponto especialmente através de uma reflexão demorada sobre a análise que Marx faz da renda territorial na sociedade capitalista. Sendo a renda da terra de origem pré-capitalista, perde, no entanto, esse caráter à medida que é absorvida pelo processo do capital e se transforma em renda territorial capitalizada, introduzindo uma irracionalidade na reprodução do capital. A determinação histórica do capital não destrói a renda nem preserva o seu caráter pré-capitalista — transforma-a, incorporando-a, em renda capitalizada. Fiz dessa constatação uma hipótese que abrangesse não apenas relações pré-capitalistas, mas o que o próprio Marx e, mais tarde, Rosa Luxemburg definiram como relações não-capitalistas. Foi o que me permitiu desenvolver a análise do regime de colonato nas fazendas de café, constituído de relações de trabalho que foram historicamente criadas na própria substituição do trabalhador escravo, conforme as necessidades do capital, sem que no final viesse a se definir um regime de trabalho assalariado nos cafezais. Da mesma forma, esse processo não recuperou relações de produção *pré-capitalistas*.

Outro ponto que classifico como importante é a inovação de tratar o escravo como *renda capitalizada* e não como capital. Estou convencido de que essa é uma formulação fundamental para repensarmos a questão da exploração do trabalho e a questão da renda fundiária no Brasil. Não deixa de causar grande espanto que reputados autores brasileiros tenham sistematicamente omitido de suas análises qualquer referência ao problema da renda fundiária. Essa omissão representou até aqui não somente um atraso teórico, mas sobretudo um atraso político. As primeiras tentativas que fiz nesse sentido foram recebidas com um desdém que é revelador da gravidade dessa omissão, pois há os que preferem fazer dela fé de ofício, ainda que contra toda a tradição teórica e metodológica que supostamente seguem em seus trabalhos.

Julgo necessário esclarecer que a minha pesquisa sobre o colonato foi, ao mesmo tempo, uma pesquisa sobre a industrialização em São Paulo. Pude refazer e completar as investigações que realizei há anos sobre o segundo tema. Além do estudo incluído na primeira parte deste livro, pretendia escrever uma segunda monografia sobre a relação entre a expansão do café e o desenvolvimento da indústria, centrada no problema da acumulação, e publicar ambos num único volume. As urgências da vida levaram-me a protelar a redação do segundo estudo, razão por que decidi publicar o primeiro juntamente com os artigos que constituem a segunda parte do livro e que já foram editados antes.

O trabalho principal deste volume — *A produção capitalista de relações não-capitalistas de produção: o regime de colonato nas fazendas de café* — foi preparado para o seminário que a Universidade Nacional Autônoma do México promoveu em Cuernavaca no mês de abril sobre "Dinâmica da população e modos de produção". Foi uma boa oportunidade para trocar idéias sobre o assunto com diversos dos pesquisadores presentes, que devo a Raúl Benitez Zenteno, do Instituto de Investigações Sociais. Neide Patarra foi a comentadora do trabalho naquela reunião e eu lhe agradeço muito as referências e indagações. Oriowaldo Queda e João Carlos Duarte discutiram o trabalho comigo, levantando problemas, o que me foi útil na revisão do original. Do mesmo modo, sou agradecido a Margarida Maria Moura pela leitura e comentário do texto. Beneficiei-me ainda com as indagações dos pesquisadores do Museu Nacional na oportunidade de uma exposição desse trabalho no seu seminário das quintas-feiras. Esta monografia já estava pronta para publicação quando chegou ao meu conhecimento que Verena Martinez-Alier e Michael Hall haviam preparado dois curtos estudos sobre o colonato e sobre as greves nas fazendas, quase ao mesmo tempo em que eu preparava o meu. Tivemos oportunidade de trocar idéias sobre o primeiro desses trabalhos, ainda numa versão preliminar em inglês, quando pudemos confrontar as constatações feitas pelos três. A José Sebastião Witter agradeço o apoio que me deu na fase da pesquisa no Departamento do Arquivo do Estado, de que é diretor.

Os trabalhos incluídos como capítulos 1 e 2 da Segunda Parte foram elaborados como textos básicos preparatórios para a pesquisa que resultou no estudo da Primeira Parte. O tempo e a oportunidade para produzi-los, em meio a outras atividades, me foram propiciados pela Universidade de Cambridge, que me distinguiu com um convite para tornar-me "visiting scholar" do seu Centre of Latin American Studies durante o Lent e o Easter Terms de 1976. Além de discuti-los no seu seminário semanal, tive a respeito uma proveitosa troca de idéias com os participantes do seminário sobre o Brasil, da Universidade de Londres, e dos seminários sobre a América Latina da Universidade de Oxford e da Universidade de Glasgow. Devo a minha presença nessas três últimas universidades, respectivamente, a Leslie Bethell, Alan Angell e Peter Flynn. Sou imensamente agradecido a David Brading e a David Lehmann pelo convite para ir a Cambridge, pela frutífera permanência que tive naquela Universidade e pelo calor humano com que me acolheram.

José de Souza Martins

São Paulo, setembro de 1978

A PRODUÇÃO CAPITALISTA DE RELAÇÕES NÃO-CAPITALISTAS DE PRODUÇÃO: O REGIME DE COLONATO NAS FAZENDAS DE CAFÉ

INTRODUÇÃO

É um lugar comum, hoje em dia, em trabalhos de historiadores, sociólogos, economistas e cientistas políticos, que estudam as transformações da sociedade brasileira em face da crise do trabalho escravo, a afirmação de que a servidão negra foi substituída pelo trabalho assalariado. Um dos mais prestigiosos historiadores brasileiros, Caio Prado Júnior, observa que a lavoura cafeeira baseou-se "na grande propriedade monocultural trabalhada por escravos negros, substituídos mais tarde (...) por trabalhadores assalariados" [1]. Mais adiante acrescenta que, com o abandono do sistema de parceria, a remuneração do trabalho "deixará de ser feita com a divisão do produto, passando a realizar-se com o pagamento de salários" [2].

Um sociólogo não menos prestigioso, que é Florestan Fernandes, autor de trabalhos notáveis a respeito do negro e da escravidão, assinala que, com a abolição da escravatura em 1888, "as tendências de reintegração da ordem social e econômica expeliram, de modo mais ou menos intenso, o negro e o mulato do sistema capitalista de relações de produção no campo" [3].

Essas afirmações de autores clássicos da literatura brasileira de ciências sociais, pesquisadores conscienciosos e reputados, que realizaram demoradas investigações sobre a escravidão e seu desaparecimento, além de suscitarem novos e problemáticos temas para pesquisa, tiveram desdobramento em trabalhos de autores recentes, com um teor mais enfático. Um deles afirma que "com a imigração massiva, o trabalho escravo cedeu lugar ao trabalho assalariado nas plantações de café" [4]. Outro, registra que "já no início da década de 1880,

---

1. Caio Prado Júnior, *História Econômica do Brasil*, 6ª edição, Editora Brasiliense, São Paulo, 1961, pp. 169-170.
2. *Ibidem*, p. 192.
3. Florestan Fernandes, *A Integração do Negro na Sociedade de Classes*, volume I, Dominus Editora — Editora da Universidade de São Paulo, São Paulo, 1965, p. 20.
4. Sergio Silva, *Expansão Cafeeira e Origens da Indústria no Brasil*, Editora Alfa Ômega, São Paulo, 1976, p. 50.

grande parte da nova expansão cafeeira de São Paulo, se dava, em grande medida, com trabalho assalariado" [5]. E completa, mais adiante, que "o primeiro grande salto da expansão cafeeira de São Paulo, entre 1875 a 1883 (. . .) já seria feito, parcialmente, dentro de relações capitalistas de produção. . ." [6]. Outro autor, ainda, afirma que "o momento decisivo em que se constituíram relações capitalistas de produção na área de São Paulo ocorreu com a liquidação final do sistema escravista e a entrada das grandes levas de imigrantes" [7]. O mesmo autor, em outro trabalho, leva essa premissa às últimas conseqüências, dizendo que da "empresa cafeeira concentrada no Oeste paulista nasceria uma nova classe assentada em relações capitalistas de produção, com consciência de seus interesses e um projeto de estruturação política do país", acrescentando que a produção cafeeira apoiava-se em bases capitalistas, sendo que, por isso, "as relações típicas entre colono e fazendeiro tinham este caráter" [8]. Ainda esse autor completa o seu raciocínio com a constatação de que a natureza capitalista das relações de produção na fazenda de café se expressa "na compra da força de trabalho — pagamento de trabalho necessário (salário) — apropriação do excedente, sob a forma de mais-valia, embora o salário proviesse de fontes monetárias e não monetárias" [9]. Um pesquisador já citado completa as suas formulações, nessa mesma direção, ao indicar que o trabalho livre assumiu, na substituição do escravo, diferentes formas [10]. O historiador Caio Prado Júnior já havia, aliás, em vigorosas imprecações, questionado a orientação dos que definiam como feudais ou semi-feudais as relações de produção no campo. Indicava como, na verdade, relações do tipo parceria e colonato teriam se constituído em variantes de relações capitalistas de produção [11].

---

5. Wilson Cano, *Raízes da Concentração Industrial em São Paulo*, Difel, Rio de Janeiro-São Paulo, 1977, p. 23.

6. *Ibidem*, p. 35.

7. Boris Fausto, *Trabalho Urbano e Conflito Social (1890-1920)*, Difel, São Paulo-Rio de Janeiro, 1976, p. 17.

8. Boris Fausto, "Expansão do café e política cafeeira", *in* Boris Fausto (org.), *História Geral da Civilização Brasileira*, tomo III, 1º volume, Difel, São Paulo, 1975, p. 199.

9. *Ibidem*, p. 199.

10. Wilson Cano, ob. cit., p. 38.

11. Caio Prado Júnior, "Contribuição para a análise da questão agrária no Brasil", *in Revista Brasiliense*, nº 28, março-abril de 1960, pp. 212-216; Caio Prado Júnior, *A Revolução Brasileira*, Editora Brasiliense, São Paulo, 1966, *passim*. A propósito das análises desse autor, cf. Braz José de Araújo, "Caio Prado Júnior e a questão agrária no Brasil", *in Temas de ciências humanas*, nº 1, Editorial Grijalbo, São Paulo, 1977, pp. 47-89.

Em anos recentes, tais definições foram direta ou indiretamente marcadas e estimuladas por um confuso debate intelectual sobre a transição do feudalismo ao capitalismo, como processo definidor do momento histórico brasileiro, que por sua vez justificaria a tática política de lutar pela remoção dos chamados "restos feudais" que se evidenciariam em diferentes relações de trabalho no meio rural, quase todas, de modo geral, originadas com a extinção do trabalho escravo [12]. A questão da transformação das relações de produção foi remetida, pois, ao terreno cediço do falso argumento de que, não sendo formalmente feudais, seriam formalmente capitalistas as relações de produção posteriores ao escravismo e amplamente vigentes, ainda hoje, em muitos setores econômicos e regiões do país.

Como obviamente a classificação de tais relações como feudais violava o conhecimento que se tem sobre o feudalismo, parecendo antes procedimento primário e simplista e, por isso, equivocado, foi quase como decorrência natural que tais situações e relações passaram a ser *a priori* definidas como capitalistas [13], caindo-se no formalismo oposto e muitas vezes no ardil de considerá-las formas disfarçadas de relações capitalistas. É claro que tais polarizações e equívocos têm muito pouco a ver com a reconstrução histórica da realidade e muito mais com os dilemas e impasses políticos do momento. Por isso mesmo é que trabalhos sérios e significativos, como os que foram citados, entre outros, acabam, de alguma forma, marcados por tais dilemas, sem deixar, porém, de expressar as dificuldades que tais definições envolvem.

De fato, à medida que os próprios pesquisadores descrevem as relações de trabalho que predominaram na substituição do escravo pelo trabalhador livre, baseadas na produção direta dos meios de vida necessários à reprodução da força de trabalho, já se constata que tais relações não podem ser definidas como capitalistas (nem o trabalho como assalariado), senão através de muitos e questionáveis artifícios. Essa é, na verdade, uma questão de método. O procedimento classificatório descarta a reconstituição das relações, tensões e determinações que se expressam nas formas assumidas pelo trabalho.

---

12. Sobre esse debate e os seus aspectos mais inclusivos, cf. Ciro Flamarion S. Cardoso e Héctor Pérez Brignoli, *Los Métodos de la Historia*, Editorial Crítica, Barcelona, 1976, esp. pp. 76-78.

13. Um autor que nesse sentido exerceu grande influência foi André Gunder Frank, esp. "Le capitalisme et le mythe du feodalisme dans l'agriculture brésilienne", *Capitalisme et sous-développement en Amérique Latine*, trad. Guillaume Carle e Christos Passadéos, François Maspero, Paris, 1968, pp. 203-252.

Melhor, portanto, reconstituir a diversidade de mediações e determinações das relações de produção que configuraram o regime de trabalho que veio a ser conhecido como regime de colonato, sob o qual durante cerca de um século, até há poucos anos, foi realizada a maior parte das tarefas no interior da fazenda de café.

O primeiro ponto, o ponto de partida, é o de que na crise do trabalho escravo foi engendrada a modalidade de trabalho que o superaria, isto é, o trabalho livre, sendo essa a sua única e inicial adjetivação. É verdade que o trabalhador livre já era conhecido amplamente na sociedade brasileira, sobretudo porque, por diferentes meios, muitos negros já haviam sido libertados por seus senhores; sobretudo, porém, porque o cativeiro indígena já havia sido extinto no século XVII, de que proveio uma extensa população de mestiços, definidos desde logo como bastardos, e que vieram a ser conhecidos como caboclos e caipiras, geralmente agregados de grandes fazendeiros. Tal precedência, porém, não deve ser confundida com o trabalho livre produzido diretamente na crise do cativeiro. A presença quantitativa do homem livre na sociedade escravocrata, presença complementar e integrativa, não foi fator da sua desagregação. Na verdade, esse homem livre desagregou-se também quando o mundo do cativeiro se esboroou, porque a sua liberdade era essencialmente fundamentada na escravidão de outros.

O trabalho livre gerado pela crise do cativeiro diferia qualitativamente do trabalho livre do agregado, pois era definido por uma nova relação entre o fazendeiro e o trabalhador. O trabalhador livre que veio substituir o escravo dele não diferia por estar divorciado dos meios de produção, característica comum a ambos. Mas, diferia na medida em que o trabalho livre se baseava na separação do trabalhador de sua força de trabalho e nela se fundava a sua sujeição ao capital personificado no proprietário da terra. Entretanto, se nesse ponto o trabalhador livre se distinguia do trabalhador escravo, num outro a situação de ambos era igual. Refiro-me a que a modificação ocorrera para preservar a economia fundada na exportação de mercadorias tropicais, como o café, para os mercados metropolitanos, e baseada na grande propriedade fundiária [14].

---

14. "Agora, neste momento que nos ocupa, para se produzir café, como no passado se produzira açúcar, apelava-se para a imigração européia como dantes se recorria ao tráfico africano. O sistema permanecia fundamentalmente o mesmo, e se perpetuava nos novos territórios abertos para a cultura do café, pela substituição do tráfico pela imigração, do escravo africano pelo imigrante europeu." Cf. Caio Prado Júnior, "A imigração brasileira no passado e no futuro", *Evolução Política do Brasil e outros estudos,* 2ª edição, Editora Brasiliense Ltda., São Paulo, 1957, p. 252. "Certamente não é a menor das ironias da história brasileira o fato de que, quando a imigração em massa finalmente chegou, ela não

A contradição que permeia a emergência do trabalho livre expressa-se na transformação das relações de produção como meio para preservar a economia colonial, isto é, para preservar o padrão de realização do capitalismo no Brasil, que se definia pela subordinação da produção ao comércio. Tratava-se de mudar para manter.

Convém, a propósito, ter presente as insistentes referências de Marx à personificação do capital na pessoa do burguês [15], suscitando um tema que, mais tarde, seria retomado por Weber na análise do espírito do capitalismo. O problema da personificação do capital não deve ser descartado, muito ao contrário, sua consideração é indispensável para entendermos as formas mediadoras da reprodução do capital. Entretanto, se essas formas são o ponto de partida não podem ser ao mesmo tempo o ponto de chegada da análise, dado que se de um lado temos a expressão das relações, de outro precisamos ter as relações explicadas. Por outro lado, a função da forma é a de revestir de coerência aquilo que é contraditório e tenso. É por isso negação mediadora das relações que expressa.

A personificação do capital no burguês acoberta as relações que engendraram esse mesmo capital, revestindo de uma linearidade utópica a descontinuidade tensa em que se dá a exploração do trabalho. Ora, o capital comercial também se personifica no burguês, que assume a sua racionalidade na busca incessante do lucro. Nessa condição é que o fazendeiro de café entrava na teia de relações produzidas pela sua mercadoria tropical. É significativo, como veremos mais adiante, que a sua contabilidade fosse toda organizada com base nos livros de contas-correntes. Dificilmente se pode encontrar referências a uma contabilidade de custos nas fazendas dessa época. Isso basicamente indica que a racionalidade do capital personificada pelo fazendeiro esgotava-se no nível da circulação das mercadorias. Inferir, simplesmente, as relações de produção ou qualificá-las com base no capital personificado no fazendeiro, é um procedimento que necessariamente acoberta a real natureza do tra-

---

veio a criar um novo Brasil, como tantos ensejavam, porém serviu para escorar a enfraquecida estrutura do velho." Cf. Michael M. Hall, "Reformadores de classe média no império brasileiro: a Sociedade Central de Imigração", in *Revista de História*, vol. LIII, nº 105, janeiro-março de 1976, p. 169.

15. "O conteúdo objetivo deste processo de circulação — a valorização do valor — é o seu (do capitalista) fim subjetivo, e só age como capitalista, como capital personificado, dotado de consciência e de vontade, na medida em que as suas operações não têm outro motivo propulsor que não seja a apropriação progressiva de riqueza abstrata." Cf. Carlos Marx, *El Capital — Crítica de la Economía Política*, tomo I, Fondo de Cultura Económica, México, 1959, p. 109 e ss.

balho nas fazendas, levando quase inadvertidamente à definição das suas relações de produção como capitalistas. Tal fato constitui a projeção do capital personificado sobre as relações de que tal capital resulta. O importante, porém, é descobrir que forma de capital o fazendeiro personificava.

As relações sociais que engendravam o fazendeiro-capitalista não eram estritamente as relações de produção no interior da fazenda, mas também e significativamente as relações de troca que ele mantinha fora da fazenda com os comissários de café e, mais tarde, já no final do século XIX, com os exportadores [16]. É por essa razão que a transformação das relações de trabalho na cafeicultura originou-se na esfera da circulação, na crise do comércio de escravos, que produziu os seus efeitos mais drásticos no Brasil a partir de 1850, quando o tráfico negreiro foi definitivamente proibido. A hegemonia do comércio na determinação das relações de produção coloniais, nesse caso particular, deve ser ressaltada. A economia colonial não se define apenas pelo primado da circulação, mas também pelo fato de que o próprio trabalhador escravo entra no processo como mercadoria [17]. Portanto, antes de ser o produtor

---

16. Justamente sobre esse ponto tem incidido a ênfase de diferentes autores que trataram da condição capitalista do fazendeiro em contraste com as relações não-capitalistas de produção na fazenda. Cf. Florestan Fernandes, *Sociedade de Classes e Subdesenvolvimento*, Zahar Editores, Rio de Janeiro, 1968, p. 65: "Sob o capitalismo dependente, a persistência de formas econômicas arcaicas não é uma função secundária e suplementar. A exploração dessas formas, e sua combinação com outras, mais ou menos modernas e até ultramodernas, fazem parte do 'cálculo capitalista' do agente econômico privilegiado. Por fim, a unificação do todo não se dá (nem poderia dar-se) ao nível da produção. Ela se realiza e organiza, economicamente, ao nível da comercialização e, em seguida, do destino do excedente econômico". Adotando outro percurso, Maria Sylvia de Carvalho Franco também enfatiza que era no mundo dos negócios que se davam as práticas capitalistas do fazendeiro. Cf. *Homens Livres na Ordem Escravocrata*, Instituto de Estudos Brasileiros — USP, São Paulo, 1969, pp. 165 e ss. Entretanto, essa ênfase não soluciona nem explica a contraditória combinação entre a postura capitalista do fazendeiro e a produção não-capitalista de sua fazenda. Essa dificuldade decorre, a meu ver, da não-explicitação da forma do capital, como renda capitalizada, permanecendo-se numa concepção genérica de capitalista, mais próxima das formulações de Weber do que das de Marx.

17. Carlos Marx, ob. cit., tomo I, p. 121: "... converter-se de livre em escravo, de possuidor de uma mercadoria em mercadoria". Cf., também, Fernando Henrique Cardoso, *Capitalismo e Escravidão no Brasil Meridional*, Difusão Européia do Livro, São Paulo, 1962, p. 311: "... a escravidão constitui a mercantilização do próprio trabalhador". Ver, ainda, Ciro F. S. Cardoso, "O modo de produção escravista colonial na América", *in* Théo Santiago (org.), *América Colonial*, Rio de Janeiro, 1975, esp. pp. 90 e ss.

direto, ele tem que ser objeto de comércio. Por isso, tem que *produzir lucro* já *antes* de começar a produzir mercadorias e não apenas depois. Pode-se, pois, dizer que, na economia colonial, o processo de constituição da força de trabalho é regulado antes de mais nada pelas regras de comércio. Por isso mesmo, a transformação das relações de produção tem menos a ver, num primeiro momento, com modificações no processo de trabalho da fazenda de café e mais a ver com modificações na dinâmica de abastecimento da força de trabalho de que o café necessitava.

Essas modificações, porém, alteraram a qualidade das relações do fazendeiro com o trabalhador, alteraram as relações de produção. No regime de trabalho escravo, a jornada de trabalho e o esforço físico do trabalhador eram crua e diretamente regulados pelo lucro do fazendeiro. A condição cativa já definia a modalidade de coerção que o senhor exercia sobre o escravo na extração do seu trabalho. O mesmo não ocorria com o trabalhador livre que, sendo juridicamente igual a seu patrão, dependia de outros mecanismos de coerção para ceder a outrem a sua capacidade de trabalho.

Através do cativeiro, o capital organizava e definia o processo de trabalho, mas não instaurava um modo capitalista de coagir o trabalhador a ceder a sua força de trabalho em termos de uma troca aparentemente igual de salário-por-trabalho. Já que a sujeição da produção ao comércio impunha a extração de lucro antes que o trabalhador começasse a produzir, representando, pois, um adiantamento de capital, ele não entrava no processo de trabalho como vendedor da mercadoria força-de-trabalho e sim diretamente como mercadoria; mas, não entrava também como capital, no sentido estrito, e sim como equivalente de capital, como renda capitalizada. A exploração da força de trabalho se determinava, pois, pela taxa de juros no mercado de dinheiro, pelo emprego alternativo do capital nele investido antecipadamente, isto é, o cálculo capitalista da produção era mediado por fatores e relações estranhos à produção.

Nesse sentido, as relações de produção entre o senhor e o escravo produziam, de um lado, um capitalista muito específico, para quem a sujeição do trabalho ao capital não estava principalmente baseada no monopólio dos meios de produção, mas no monopólio do próprio trabalho, transfigurado em renda capitalizada. De outro lado, essas relações, sendo desiguais, não sendo fator, mas condição do capital, produziam um trabalhador igualmente específico, cuja gênese não era mediada por uma relação de troca de equivalentes (não era mediada pelo fazendeiro-comerciante), mas era mediada pela desigualdade que derivava diretamente da sua condição de renda capitalizada, de uma sujeição previamente produ-

15

zida pelo comércio (era mediada, pois, pelo fazendeiro-rentista). A escravidão colonial definia-se, portanto, como uma modalidade de exploração da força de trabalho baseada direta e previamente na sujeição do trabalho, através do trabalhador, ao capital comercial.

Tal como acontece com a propriedade fundiária, o trabalho não é produto do próprio trabalho, não tem valor embora a pessoa do trabalhador possa ter preço no regime escravista ou a sua força de trabalho possa ter preço no regime de trabalho assalariado. Neste último, o preço da força de trabalho do operário é medido pelo tempo de trabalho necessário à sua reprodução como trabalhador, isto é, o tempo representado pelo valor criado que retorna ao trabalhador sob a forma de meios de vida. Já sob o trabalho escravo, além do tempo de trabalho necessário à reprodução do trabalhador, é preciso antecipar uma parte do seu trabalho excedente para pagar ao traficante o seu uso, a sua exploração como produtor de valor. Mas, do mesmo modo que na renda territorial capitalizada, o proprietário espera extrair do seu escravo um rendimento econômico que é medido pelo lucro médio, que deve ao menos equivaler ao rendimento que seu dinheiro lhe daria se fosse aplicado em outro negócio. A exploração do escravo no processo produtivo já está, pois, precedida de parâmetros e relações comerciais que a determinam. Essa exploração não abrange apenas o lucro médio, mas também a conversão do capital em renda capitalizada, a parcela do excedente que o escravo pode produzir e que é antecipadamente paga ao mercador de escravos. A coerção do cativeiro encarrega-se de transferir para o próprio escravo o ônus desse trabalho. Desse modo, o regime escravista apóia-se na transferência compulsória de trabalho excedente, sob a forma de capital comercial, do processo de produção para o processo de circulação, instituindo a sujeição da produção ao comércio. Entretanto, como o lucro do fazendeiro é regulado pelo lucro médio, o seu cativo não representa uma forma pré-capitalista de renda — trata-se efetivamente de renda capitalizada, de forma capitalista de renda, renda que se reveste da forma de lucro. Exatamente por isso é que o fazendeiro não pode ser definido como um rentista de tipo feudal, um consumidor de rendas.

Para ser lançado nas relações sociais da sociedade escravocrata, o trabalhador era despojado de toda e qualquer propriedade, inclusive da propriedade da sua própria força de trabalho. Diversamente do que se dá quando a produção é diretamente organizada pelo capital (e não pela mediação da renda), em que o trabalhador preserva a única propriedade que pode ter, que é a da sua força de trabalho, condição para entrar no mercado como vendedor dessa mercadoria, esse despojamento absoluto é a pré-condição para que o trabalhador apareça na produção como escravo. Por isso, o advento do trabalho livre, corporificado na imigração, não foi processo igual para o escravo colonial e para quem não fora escravo, para o imigrante europeu. Com ele, o primeiro ganhou a propriedade da sua força de trabalho; enquanto o segundo, expulso da terra, liberado da propriedade, tornou-se livre, isto é, despojado de toda propriedade que não fosse a da sua força de trabalho. Para um a força de trabalho era o que ganhara com a libertação; para outro era o que lhe restara.

Para o escravo, a liberdade não é o resultado imediato do seu trabalho, isto é, trabalho feito por ele, mas que não é seu. A liberdade é o contrário do trabalho, é a negação do trabalho[18]; ele passa a ser livre para recusar a outrem a força de trabalho que agora é sua. Para o homem livre, despojado dos meios de produção, ao contrário, o seu trabalho passa a ser condição da liberdade. É no trabalho livremente vendido no mercado que o trabalhador recria e recobra a liberdade de vender novamente a sua força de trabalho. É claro que se está falando aqui, tanto num caso como no outro, de uma liberdade muito específica: a liberdade de vender a força de trabalho. A libertação do escravo não o liberta do passado de escravo; esse passado será uma das determinações da sua nova condição de homem livre[19]. Do mesmo modo, o homem livre que foi proprietário ou co-proprietário das suas condições de trabalho, ao ser despojado dessas condições não se liberta da sua liberdade anterior, a liberdade de se realizar no trabalho independente, ainda que sob o preço de um tributo em trabalho, em espécie ou em dinheiro.

As mudanças ocorridas com a abolição da escravatura não representaram, pois, mera transformação na condição jurídica do trabalhador; elas implicaram transformação do próprio trabalhador. Sem isso não seria possível passar da coerção predominantemente física do trabalhador para a sua coerção predominantemente

---

18. "... na sociedade escravista só é representado realmente como homem livre quem não precisa trabalhar para viver." Cf. Fernando Henrique Cardoso, ob. cit., p. 231. "... o ideal de personalidade do negro resumia-se à reprodução em si da imagem onipresente do branco." *Ibidem*, p. 290. Sobre os efeitos desastrosos desse fato, para o negro, cf. Florestan Fernandes, *A Integração do Negro na Sociedade de Classes*, cit., tomo I, esp. cap. II.
19. "... durante um interregno que alcança algumas décadas, o negro continua a ser um ex-escravo..." Cf. Octavio Ianni, *As Metamorfoses do Escravo*, Difusão Européia do Livro, São Paulo, 1962, p. 256. "... o trabalhador negro, recém-egresso da escravidão e por ela *deformado*, não estava em condições de resistir à livre competição com o imigrante europeu." Cf. Roger Bastide e Florestan Fernandes, *Brancos e Negros em São Paulo*, 2ª edição, Companhia Editora Nacional, São Paulo, 1959, p. 49.

17

ideológica. Enquanto o trabalho escravo se baseava na vontade do senhor, o trabalho livre teria que se basear na vontade do trabalhador, na aceitação da legitimidade da exploração do trabalho pelo capital, pois se o primeiro assumia previamente a forma de capital e de renda capitalizada, o segundo assumiria a forma de força de trabalho estranha e contraposta ao capital. Por essas razões, a questão abolicionista foi conduzida em termos da substituição do trabalhador escravo pelo trabalhador livre, isto é, no caso das fazendas paulistas, em termos de substituição física do negro pelo imigrante. O resultado não foi apenas a transformação do trabalho, mas também a substituição do trabalhador.

As novas relações de produção, baseadas no trabalho livre, dependiam de novos mecanismos de coerção, de modo que a exploração da força de trabalho fosse considerada legítima, não mais apenas pelo fazendeiro, mas também pelo trabalhador que a ela se submetia. Nessas relações não havia lugar para o trabalhador que considerasse a liberdade como negação do trabalho; mas, apenas para o trabalhador que considerasse o trabalho como uma virtude da liberdade.

Uma sociedade cujas relações sociais fundamentais foram sempre relações entre senhor e escravo não tinha condições de promover o aparecimento desse tipo de trabalhador. Seria necessário buscá-lo em outro lugar, onde a condição de homem livre tivesse outro sentido. É nessas condições que tem lugar a vinculação entre a transformação das relações de trabalho na cafeicultura e a imigração de trabalhadores estrangeiros que ocorreu sobretudo entre 1886 e 1914.

Neste sentido, o que me proponho a fazer é analisar o processo de constituição da força de trabalho e das relações de produção que se definiu com a crise do escravismo no final do século XIX. Essa crise deu lugar a um regime de trabalho singular [20], que ficou conhecido como regime de colonato e que abrangeu tanto a cultura de café quanto a de cana-de-açúcar. Ele não pode ser definido como um regime de trabalho assalariado, já que o salário em dinheiro é, no processo capitalista de produção, a única forma de

---

20. Louis Couty, professor na Escola Politécnica do Rio de Janeiro, um misto de sociólogo e economista e autor de estudos fundamentais sobre a economia do café e a transição para o trabalho livre, tentou descrever o colonato nascente segundo os parâmetros europeus e chegou à conclusão de que não tinha analogia na Europa. Cf. Louis Couty, *Étude de Biologie Industrielle sur le Café*, Imprimerie du "Messager du Brésil", Rio de Janeiro, 1883, p. 129.

remuneração da força de trabalho[21]. Isso porque o colonato se caracterizou, como se verá em detalhe mais adiante, pela combinação de três elementos: um pagamento fixo pelo trato do cafezal, um pagamento proporcional pela quantidade de café colhido e produção direta de alimentos como meios de vida e como excedentes comercializáveis pelo próprio trabalhador. Além do que o colono não era um trabalhador individual, mas sim um trabalhador familiar. É, porém, a produção direta dos meios de vida com base no trabalho familiar que impossibilita definir essas relações como relações capitalistas de produção. A prévia mercantilização de todos os fatores envolvidos nessas relações, mediante o que o salário não pode ser um salário-aritmético, isto é, disfarçado, mas deve ser salário em dinheiro para que os meios de vida necessários à produção da força de trabalho sejam adquiridos pela mediação do mercado, é condição para que as relações de produção se determinem como relações capitalistas de produção. Tal condição, porém, não se dá neste caso. O salário-aritmético é um salário que entra na cabeça do capitalista, mas que não entra no bolso do trabalhador, não produz uma relação social.

A minha hipótese é a de que o capitalismo, na sua expansão, não só redefine antigas relações, subordinando-as à reprodução do

---

21. "No que se refere ao trabalhador, a sua força de trabalho só pode começar a funcionar produtivamente a partir do momento em que, ao ser vendida, se põe em contato com os meios de produção. Portanto, antes de sua venda existe separada dos meios de produção, das condições materiais necessárias para o seu emprego. Neste estado de separação, não pode ser empregada nem diretamente para a produção de valores de uso destinados ao seu possuidor nem para a produção de mercadorias de cuja venda este possa viver." A relação entre o comprador e o vendedor de força de trabalho "se desenvolve exclusivamente no plano do dinheiro". Cf. Carlos Marx, *El Capital*, cit., tomo II, p. 32. A determinação do salário depende da determinação dos meios de vida necessários à reprodução da força de trabalho, segundo necessidades historicamente reguladas. No regime de trabalho assalariado, o salário corresponde ao tempo de trabalho socialmente necessário à reprodução da força de trabalho. O trabalho necessário, por seu lado, é estabelecido pela mediação do capital no próprio processo de valorização, de modo a encobrir a distinção entre trabalho necessário e trabalho excedente, de modo a ocultar a exploração do trabalhador e a extração da mais-valia. Por isso, o trabalho excedente não pode emergir como matéria distinta do trabalho necessário. Em decorrência, só o salário em dinheiro pode revestir de uma aparência de igualdade a relação economicamente desigual entre o capitalista e o trabalhador, acobertando a exploração a ela subjacente. Se o trabalhador produz diretamente ao menos uma parte dos seus meios de vida, destrói o caráter salarial da sua remuneração porque entrega ao capitalista diretamente, em forma material diversa, o seu trabalho excedente. Nesse caso, o trabalhador pode ser livre, mas não formalmente igual, o que impede a classificação dessa relação como capitalista. Sobre alguns dos pontos desta nota, cf. Carlos Marx, *El Capital*, cit., tomo I, pp. 448 e ss.

capital, mas também engendra relações não-capitalistas igual e contra-ditoriamente necessárias a essa reprodução. Marx já havia demons-trado que o capital preserva, redefinindo e subordinando, relações pré-capitalistas. Provavelmente, o caso mais significativo é o da renda capitalista da terra. Sendo a terra um fator natural, sem valor porque não é o resultado do trabalho humano, teoricamente não deveria ter preço. Mas, antes do advento do capitalismo, nos países europeus, o uso da terra estava sujeito a um tributo, ao paga-mento da renda em trabalho, espécie ou dinheiro. Essas eram formas pré-capitalistas de renda decorrentes unicamente do fato de que algumas pessoas tinham o monopólio da terra, cuja utilização ficava, pois, sujeita a um tributo. O advento do capitalismo não fez cessar essa irracionalidade. Ao contrário, a propriedade fundiária, ainda que sob diferentes códigos, foi incorporada pelo capitalismo, contradição essa que se expressa na renda capitalista da terra. Tal renda nada mais tem a ver com o passado pré-capitalista, não é mais um tributo individual e pessoal do servo ao senhor; agora é um pagamento que toda a sociedade faz pelo fato de que uma classe preserva o monopólio da terra. A nova forma que ele assume é caracteristicamente capitalista, é oposta ao tributo historicamente anterior: nem os burgueses nem os proletários transferem diretamente uma parte dos seus lucros ou de seus salários aos proprietários. Entretanto, a composição orgânica diferencial do capital entre agri-cultura e indústria encarrega-se de fazer aparecer nas mãos do proprietário a renda absoluta que aparentemente não é extraída de ninguém [22].

---

22. Cf. Carlos Marx, *El Capital*, cit., tomo III, pp. 573 e ss. A forma especificamente capitalista da renda territorial configura-se na renda abso-luta, que reveste de caráter capitalista a propriedade fundiária. Marx é claro ao estabelecer as diferenças entre essa forma de renda e as formas pré-capitalistas, inclusive a renda em dinheiro. Entretanto, essa inter-pretação vem de ser questionada por um autor francês recente. No seu entender, se a classe personifica a modalidade de participação num vínculo de exploração (e não somente de distribuição da mais-valia), então há um engano na definição de uma modalidade de renda capitalista como renda absoluta. Nesse caso, as relações de classe são duais (p. ex., bur-guesia e proletariado), não se podendo pensar o capitalismo como uma sociedade constituída por três classes fundamentais: burgueses, proletários e proprietários de terra. Estes últimos personificariam, na verdade, uma relação dual e antagônica com os camponeses (que teriam sido omitidos na análise de Marx) e expressariam, portanto, os remanescentes do modo de produção feudal. Nesse caso, a sobrevivência dos proprietários de terra como classe teria lugar em termos de uma aliança de classes pré-capitalistas e capitalistas, o que repõe como tarefa política principal a luta pelo capitalismo e pela eliminação dos restos feudais. Essa tese parece-me em aberto conflito com a análise que Marx faz da renda fundiária, para quem a propriedade territorial, com a instauração do modo capitalista

A produção capitalista de relações não-capitalistas de produção expressa não apenas uma forma de reprodução ampliada do capital, mas também a reprodução ampliada das contradições do capitalismo — o movimento contraditório não só de subordinação de relações pré-capitalistas, mas também de criação de relações antagônicas e subordinadas não-capitalistas. Nesse caso, o capitalismo cria a um só tempo as condições da sua expansão, pela incorporação de áreas e populações às relações comerciais, e os empecilhos à sua expansão, pela não mercantilização de todos os fatores envolvidos, ausente o trabalho caracteristicamente assalariado. Um complemento da hipótese é que tal produção capitalista de relações não-capitalistas se dá onde e enquanto a vanguarda da expansão capitalista está no comércio.

O capitalismo engendra relações de produção não-capitalistas como recurso para garantir a sua própria expansão, como forma de garantir a produção não-capitalista do capital, naqueles lugares e naqueles setores da economia que se vinculam ao modo capitalista de produção através das relações comerciais. A primeira etapa da expansão do capitalismo é a produção de mercadorias e não necessariamente a produção de relações de produção capitalistas. O processo que institui e define a formação econômico-social capitalista é constituído de diferentes e contraditórios momentos articulados entre si: num deles temos a produção da mercadoria e a produção da mais-valia organizados de um modo caracteristicamente capitalista, dominado pela mais-valia relativa; num outro temos a circulação da mercadoria, subordinada à produção; num outro temos a produção subordinada à circulação. Mas, esses momentos estão articulados entre si num único processo, embora possam estar disseminados por espaços diferentes. Estou, portanto, trabalhando com a premissa de que a mercadoria dá um caráter mundial ao capitalismo. Ao mesmo tempo, o meu intuito é o de ir além de procedimentos mecanicistas que transplantam do plano teórico para o plano empírico da realidade histórica as etapas da transformação social. Marx assinalou, em mais de uma ocasião, a questão do ritmo das transformações históricas com o advento do capitalismo, indicando que as relações capitalistas de produção, uma vez instauradas, se disse-

---

de produção, só tem existência lógica e histórica através de relações capitalistas. De tal modo que a renda territorial se transfigura como uma forma do capital e nessa condição se defronta com o trabalhador. Somente a solução deste conflito poderá, pois, dissolver, ao mesmo tempo, a irracionalidade representada no capitalismo pela propriedade da terra. O autor que menciono é Pierre-Philippe Rey, *Les Alliances de Classes*, François Maspero, Paris, 1976.

minam pouco a pouco, de forma até imperceptível, como se nenhuma transformação estivesse ocorrendo [23]. O problema do ritmo e das formas de disseminação do capitalismo é a referência mais fundamental deste trabalho.

No Brasil, o estabelecimento das novas relações de produção combinou-se com a imigração de trabalhadores europeus, como recurso não só para constituir a força de trabalho necessária à cultura do café, mas também como recurso para pôr no lugar do trabalhador cativo um trabalhador livre cuja herança não fosse a escravidão. Mais de um milhão e seiscentos mil imigrantes vieram para o país no espaço de pouco mais de 30 anos, entre 1881 e 1913, a maioria dos quais para trabalhar como colonos nas fazendas de café. Devido justamente à modalidade das relações de produção aí vigentes, no chamado colonato, a imigração constituiu um requisito de importação constante e maciça de trabalhadores em grupos familiares. O colonato, diversamente das relações de produção caracteristicamente capitalistas, criou uma *subpopulação relativa* no campo, que tornou a imigração subvencionada pelo Estado um dos seus ingredientes básicos.

---

23. "De outro lado, as mesmas circunstâncias que determinam a condição fundamental da produção capitalista — a existência de uma classe trabalhadora assalariada — exigem que toda a produção de mercadorias adquira forma capitalista. À medida que esta se desenvolve, decompõe e dissolve todas as formas anteriores de produção que, dirigidas preferencialmente para o consumo direto do produtor, somente transformam em mercadorias as sobras da produção. A produção capitalista de mercadorias faz da venda do produto o interesse primordial, sem que, no princípio, isso aparentemente afete o próprio modo de produção... (...) Começa generalizando a produção de mercadorias e logo vai transformando, pouco a pouco, toda a produção de mercadorias em produção capitalista." Cf. Carlos Marx, *El Capital*, cit., tomo II, p. 37.

I

A METAMORFOSE DA RENDA CAPITALIZADA E AS FORMAS DE SUJEIÇÃO DO TRABALHO NA GRANDE LAVOURA

A renda capitalizada foi a principal forma do capital da fazenda cafeeira tanto sob o regime do trabalho escravo quanto sob o regime do trabalho livre. Por isso podia, a um só tempo, fazer do fazendeiro um empresário-capitalista e da fazenda um empreendimento baseado principalmente em relações não capitalistas de produção. Parece-me que os principais autores que se dedicaram ao estudo da economia do café, na tentativa de definir o caráter capitalista da produção cafeeira, não lograram de fato decifrar a contradição entre as bases capitalistas da atuação do fazendeiro e as relações não capitalistas da produção do café por não terem incluído em suas análises a problemática da renda capitalizada, isto é, da metamorfose do capital no seu oposto ainda que mantendo a *aparência* de capital.

A palavra "fazenda" tomada no seu sentido coevo, e não no sentido que tem hoje, teria ajudado a chegar a esse ponto. De fato, "fazenda" significava o conjunto dos bens, a riqueza acumulada; significava sobretudo os bens produzidos pelo trabalho e o trabalho personificado no escravo. Estava, pois, muito próxima da noção de capital e muito longe da de propriedade fundiária, que é o sentido que tem hoje. Um fazendeiro fluminense no século XIX, grande cafeicultor, ao dar um balanço dos seus bens falava no "estado da nossa fazenda", incluindo no inventário objetos que ninguém hoje em dia associaria à concepção de fazenda. Um comissário de café dizia em carta de 1864 a um seu cliente no Vale do Paraíba que "zelo sempre com muita solicitude na fazenda de meus amigos e comitentes" [24]. Referia-se, pois, aos bens do fazendeiro depositados

---

24. Cf. Alves Motta Sobrinho, *A Civilização do Café (1820-1920)*, Editora Brasiliense, São Paulo, s/d., p. 135.

em suas mãos — além de dinheiro, café e outras mercadorias — o que hoje se chama capital de terceiros. Fazendeiro, aliás, significava desde o século XVII, pelo menos, o homem que administra a riqueza, mesmo não sendo o proprietário dela. Somente nos últimos cem anos é que a palavra perdeu a sua antiga conotação para significar estritamente o proprietário de terra, o latifundiário.

Nas diferentes análises observa-se, em geral, que as formas do capital são tratadas como se constituíssem uma única, uma espécie de capital genérico, que na produção não podia originar senão relações capitalistas. Isso impossibilita que se estabeleça qual o vínculo entre relações de produção, que por suas características não podem ser classificadas como capitalistas, e o capital. Por outro lado, a definição da escravatura no latifúndio cafeeiro como simples instituição, devido à dificuldade de conceituá-la como modo de produção escravista [25], pode ter como uma das implicações a redução do problema do escravo e das relações de produção à sua mera expressão jurídica, sem alcançar as bases concretas e históricas do trabalho cativo.

Entendo, pois, que o ponto nuclear da análise das relações de produção no café está em identificar as transformações ocorridas com a renda capitalizada e o seu vínculo com as transformações do trabalho. Durante a crise do trabalho servil, o objeto da renda capitalizada passa do escravo para a terra, do predomínio num para o outro.

De fato, na vigência do trabalho escravo a terra era praticamente destituída de valor. Genericamente falando, ela não tinha a equivalência de capital, alcançando às vezes um preço nominal para efeitos práticos, sobretudo quando pequenas indenizações eram oferecidas a posseiros encravados no interior das sesmarias, para pagamento de seus roçados [26]. Isso porque a ocupação da terra obedecia a dois caminhos distintos: de um lado o pequeno lavrador que ocupava terras presumivelmente devolutas; de outro, o grande fazendeiro que, por via legal, obtinha cartas de sesmarias, mesmo em áreas onde já existiam posseiros. A carta de sesmaria tinha precedência sobre

---

25. Maria Sylvia de Carvalho Franco, *Homens Livres na Ordem Escravocrata*, cit., p. 11. Maria Stella Martins Bresciani inventariou tendências similares. Cf. "Suprimento de mão-de-obra para a agricultura: um dos aspectos do fenômeno histórico da abolição", *in Revista de História*, vol. LIII, ano XXVII, nº 106, São Paulo, abril-junho de 1976, esp. pp. 339 e ss.

26. "Cuja posse de terras está dentro da sesmaria que a dita senhora tirou ..."; "... declaram possuir um sítio (...) dentro da sesmaria do Capitão Luiz José Pereira de Queiroz ...". Cf. Carlota Pereira de Queiroz, *Um Fazendeiro Paulista no Século XIX*, Conselho Estadual de Cultura, São Paulo, 1965, p. 25.

24

a mera posse, razão por que em geral o sesmeiro ou comprava a roça do ocupante, ou o expulsava ou o incorporava como agregado de sua propriedade. Quando a presença de posseiros era muito grande, a desocupação da terra podia ser onerosa, não compensando a confirmação da sesmaria já obtida [27]. A aplicação de dinheiro na terra envolvia um grande risco por falta de mercado imobiliário. Sendo as terras devolutas abundantes, mesmo após a extinção do regime de sesmarias com a Independência, a ocupação era expediente simples e eficaz.

Em 1882, a Associação Comercial de Santos estimava que, do valor de uma fazenda de café, uns 20% poderiam corresponder à avaliação da terra [28]. Mas, o historiador Taunay assinala que as avaliações inventariais imputavam ao terreno preços meramente nominais, não realizáveis. Quando muito, inferiores a essa estimativa [29]. Mais valiosos que a terra eram os escravos [30]. Isso porque "antes do seu aparecimento ali o *valor venal da terra era nulo*. Assim, a fazenda nada mais representava senão o trabalho escravo acumulado" (grifo meu) [31]. Na verdade, tinha valor o bem sujeito a comércio, coisa que com a terra ocorria apenas limitadamente. Esse fato marcará, como veremos adiante, a história do café posterior à abolição da escravatura. A fazenda consistia, pois, no conjunto dos bens essencialmente constituídos pelos frutos do trabalho.

Esse trabalho era, como sabemos, trabalho compulsório. Entretanto, o caráter compulsório do trabalho não provinha da escassez absoluta de mão-de-obra, mas do fato de que a oferta desses trabalhadores no mercado era regulada pelo comércio negreiro [32]. Daí

---

27. Djalma Forjaz, *O Senador Vergueiro — Sua Vida e Sua Época*, vol. I, Companhia Melhoramentos de São Paulo, São Paulo, 1922, p. 17.

28. C. F. Van Delden Laerne, *Le Brésil et Java. Rapport sur La Culture du Café en Amérique, Asie et Afrique*, Martinus Nijhoff/Challamel Ainé, La Haye-Paris, 1885, p. 195.

29. Affonso d'E. Taunay, *Pequena História do Café no Brasil*, Departamento Nacional do Café, Rio de Janeiro, 1945, *passim*.

30. Miriam Lifchitz Moreira Leite, "Uma pequena propriedade produtora de café, em Guaratinguetá, no século XIX", *in O Café — Anais do II Congresso de História de São Paulo*, Coleção da "Revista de História", vol. LIX, São Paulo, 1975, p. 220.

31. Cf. Maria Isaura Pereira de Queiroz, "A estratificação e a mobilidade social nas comunidades agrárias do Vale do Paraíba entre 1850 e 1888", *in Revista de História*, ano I, nº 2, São Paulo, abril-junho de 1950, p. 196. "Visto que a terra virgem fecundada pelos negros tinha primitivamente um valor venal quase nulo, a fazenda, no seu estado atual, representa, pois, *trabalho escravo acumulado*." Louis Couty, *Étude de Biologie Industrielle sur le Café*, cit., p. 83.

32. "... uma das mais importantes implicações da escravidão é que o sistema mercantil se expandiu condicionado a uma fonte externa de

25

decorria a um só tempo a coerção física e a escassez relativa de trabalhadores. Portanto, os mecanismos reguladores da organização econômica da fazenda, não dependiam imediatamente da oferta e procura dos bens por ela produzidos, café ou cana, mas da oferta e procura de trabalhadores cativos.

Nesse sentido, o principal capital do fazendeiro estava investido na pessoa do escravo, imobilizado como renda capitalizada, isto é, tributo antecipado ao traficante de negros com base numa probabilidade de ganho futuro. O fazendeiro comprava a capacidade do escravo criar riqueza. De fato, a terra sem trabalhadores nada representava em termos econômicos; enquanto isso, independentemente da terra, o trabalhador era um bem precioso.

O escravo tinha dupla função na economia da fazenda. De um lado, sendo fonte de trabalho, era o fator privilegiado da produção. Por esse motivo era também, de outro lado, a condição para que o fazendeiro obtivesse dos capitalistas (emprestadores de dinheiro), dos comissários (intermediários na comercialização do café) ou dos bancos o capital necessário seja ao custeio seja à expansão de suas fazendas. O escravo era o penhor de pagamento dos empréstimos. Por isso, praticamente todo capital de custeio provinha de hipotecas lançadas sobre a escravaria das fazendas [33]. Tendo o fazendeiro imobilizado nas pessoas dos cativos os seus capitais, transfigurados em renda capitalizada, subordinava-se uma segunda vez ao capital comercial, mediante empréstimos, para poder pôr em movimento os seus empreendimentos econômicos, inclusive para promover a abertura de novas fazendas e adquirir equipamentos de benefício.

Esse fato teve significativas implicações na economia do café. Quando foi proibido o tráfico negreiro, houve uma acentuada e compreensível elevação no preço dos escravos. Um levantamento de

---

suprimento de trabalho e isto não por razões de uma perene carência interna ...", Maria Sylvia de Carvalho Franco, ob. cit., p. 12. "Paradoxalmente, é a partir do tráfico negreiro que se pode entender a escravidão africana colonial, e não o contrário." Fernando A. Novais, *Estrutura e Dinâmica do Antigo Sistema Colonial (Séculos XVI-XVII)*, 2ª edição, Cebrap, São Paulo, 1975, p. 32.

33. Cf. Louis Couty, *Ebauches Sociologiques: Le Brésil en 1884*, Faro & Lino — Editeurs, Rio de Janeiro, 1884, pp. 85 e ss., 183; Affonso d'E Taunay, ob. cit., pp. 163 e 177; C. F. Van Delden Laerne, ob. cit., p. 187 e ss.; J. Pandiá Cológeras, *A Política Monetária do Brasil*, trad. Thomas Newlands Neto, Companhia Editora Nacional, São Paulo, 1960, p. 180; F. A. Veiga de Castro, "Um fazendeiro do século passado", *in Revista do Arquivo Municipal*, ano X, Volume XCVII, Depto. de Cultura, São Paulo, julho-agosto de 1944, p. 39.

preços realizado junto a área de fazendas novas, no oeste paulista, apresenta o seguinte resultado:

Preço médio do escravo — 1843/1887

Período	Preço em mil-réis
1843 - 1847	550$000
1848 - 1852	649$500
1853 - 1857	1:177$500
1858 - 1862	1:840$000
1863 - 1867	1:817$000
1868 - 1872	1:792$500
1873 - 1877	2:076$862
1878 - 1882	1:882$912
1883 - 1887	926$795

Fonte: Warren Dean, Rio Claro — A Brazilian Plantation System, 1820-1920, cit., p. 55.

Com a cessação do tráfico, os preços se elevaram a quase o dobro. Como o preço do escravo era o fundamento das hipotecas, isso representou desde logo um grande aumento no capital disponível para os fazendeiros, renegociado pelas casas comissárias junto aos bancos. Esse capital, aliás, provinha da própria desimobilização de recursos antes aplicados no tráfico negreiro, como observa um dos maiores empresários da época[34]. Tudo indica que essa expansão de oferta de capitais é o que explica a intensificação do avanço dos cafezais do Rio de Janeiro sobre os municípios paulistas limítrofes à província fluminense, no Vale do Paraíba, já que um dispositivo legal circunscrevia os empréstimos hipotecários à região do Rio, de Minas, Espírito Santo e áreas próximas. Além desses limites, os comissários sozinhos ou os capitalistas individuais tinham que arcar com os riscos de adiantamentos em dinheiro. Tais recursos garantiam a importação de escravos das províncias do nordeste e do sul, que vinham suprir a crescente demanda das áreas cafeeiras.

Ao mesmo tempo, porém, os fazendeiros e os comissários sabiam do caráter conjuntural dessa situação favorável. A possibilidade de crescimento da oferta de mão-de-obra era visivelmente limitada e a curto prazo e, por isso, desproporcional ao crescimento da economia cafeeira. De fato, a expansão do crédito, que aparentemente beneficiava a produção, encerrava uma contradição: a elevação

---

34. Visconde de Mauá, Autobiografia ("Exposição aos credores e ao público"), Edições de Ouro, Rio de Janeiro, 1964, p. 124; Stanley J. Stein, Grandeza e Decadência do Café no Vale do Paraíba, trad. Edgar Magalhães, Editora Brasiliense, São Paulo, 1961, pp. 23-24.

do preço do escravo incrementava a base de obtenção de empréstimos hipotecários ao mesmo tempo em que a expansão dos empreendimentos cafeeiros ficava na dependência de uma maior imobilização de capital, sob forma de renda capitalizada, na pessoa do cativo. Essa situação, portanto, não beneficiava o fazendeiro, mas sim o traficante, incrementando o tributo que a produção devia pagar ao comércio.

A dupla função da escravatura, como fonte de trabalho e como fonte de capital para o fazendeiro, suscitava, na conjuntura de expansão do crédito e dos cafezais, o problema de como resolver a contradição que nela se encerrava. Objetivamente falando, a solução inevitável seria a abolição da escravatura. Com a demanda crescente de trabalho escravo e conseqüente elevação do preço do cativo, os fazendeiros teriam que imobilizar parcelas crescentes de seus rendimentos monetários sob a forma de renda capitalizada, pagando aos traficantes de negros um tributo que crescia desproporcionalmente mais do que a produtividade do trabalho. Esse círculo vicioso atingia diretamente os elementos do cálculo de lucro do fazendeiro, que se norteava menos pela avaliação direta e explícita de custos do que pela comparação dos seus rendimentos líquidos com a taxa de juros do mercado de dinheiro [35]. Segundo essa orientação, Delden Laerne estimava que já em 1882, seis anos antes da abolição da escravatura, o resultado líquido do empreendimento cafeeiro correspondia a uns 8,5% do capital investido, quando a taxa de juros paga pelo mesmo fazendeiro oscilava entre 10 e 12% ao ano [36]. A conseqüência direta desse fato foi a intensificação da jornada de trabalho do escravo, aumentando o número de pés de café que um trabalhador devia cuidar [37].

Entretanto, a abolição da escravatura não envolvia apenas desonerar a fazenda da renda capitalizada, do tributo que ela pagava aos traficantes de negros para obter a sua mão-de-obra. Tudo indica que tais problemas já eram previstos por ocasião de oficializar a cessação do tráfico negreiro da África para o Brasil em 1850. No mesmo ano foi promulgada uma lei que previa o desenvolvimento de uma política de imigração de colonos estrangeiros, sobretudo euro-

---

35. "Refletindo bem sobre o negócio, e fazendo cálculo da produção que tem tido a fazenda, e das despesas com o custeio da mesma, vi que não se poderia tirar um juro do capital que vou empatar, igual ao de 1 1/2% que posso obter hoje, dando o dinheiro a prêmio e perfeitamente garantido ..." Carta de José Claudiano de Abreu a Antonio Moreira de Castro Lima, Taubaté, 5 de outubro de 1896, *apud* Alves Motta Sobrinho, ob. cit., p. 175.
36. C. F. Van Delden Laerne, ob. cit., p. 195.
37. *Ibidem,* p. 80 e 254-255.

peus, que produzisse uma oferta de trabalhadores livres nas épocas de maior demanda por parte das fazendas de café. Mas, a ampla faixa de terrenos devolutos no país, teoricamente sujeitos a simples ocupação por parte dos interessados, poderia se constituir num grande entrave não só à libertação dos escravos como à entrada de trabalhadores livres de origem estrangeira [38]. Até a Independência, o regime de sesmarias (um regime de concessão de terras devolutas a particulares baseado em requisitos que dificultavam a legalização da ocupação indiscriminada dos terrenos) opunha um obstáculo à mera ocupação. A partir de então, porém, tais dificuldades deixaram de existir. Somente em 1850 é que o governo legislou sobre o assunto, estipulando que a terra devoluta não poderia ser ocupada por outro título que não fosse o de compra.

Há abundantes indicações de que tais preceitos não foram respeitados. Os ocupantes de terras e os possuidores de títulos de sesmarias ficaram sujeitos à legitimação de seus direitos, o que foi feito em 1854 através do que ficou conhecido como "registro paroquial". Tal registro validava ou revalidava a ocupação da terra até essa data. Isso não impediu o surgimento de uma verdadeira indústria de falsificação de títulos de propriedades, sempre datados de época anterior ao registro paroquial, registrados em cartórios oficiais, geralmente mediante suborno aos escrivães e notários [39]. Até as primeiras décadas deste século esses documentos estavam na raiz de grandes conflitos de terra nas frentes pioneiras de São Paulo. Tais procedimentos, porém, eram geralmente inacessíveis ao antigo escravo e ao imigrante, seja por ignorância das praxes escusas seja por falta de recursos financeiros para cobrir despesas judiciais e subornar autoridades (essas despesas eram provavelmente ínfimas em relação à extensão e ao valor potencial das terras griladas, mas eram também desproporcionais aos ganhos do trabalhador sem recursos).

A impossibilidade de ocupação sem pagamento das terras devolutas, recriava as condições de sujeição do trabalho que desapareceriam com o fim do cativeiro. Mas, não resolvia outro problema que preocupava o fazendeiro em igual extensão: uma nova garantia para o crédito hipotecário, base do capital de terceiros necessário à manutenção e expansão de seus negócios.

---

38. Maurício Vinhas de Queiroz, "Notas sobre o processo de modernização no Brasil", in *Revista do Instituto de Ciências Sociais*, Universidade Federal do Rio de Janeiro, vol. 3, nº 1, janeiro-dezembro de 1966.

39. Emília Viotti da Costa, *Da Monarquia à República: Momentos Decisivos*, cap. IV: "Política de terras no Brasil e nos Estados Unidos", Editorial Grijalbo, São Paulo, 1977, p. 146. Embora não seja o primeiro, este é um dos raros trabalhos de pesquisadores brasileiros em que se discute a Lei de Terras e a política fundiária do século XIX.

Formalmente, a legislação territorial acentuara as garantias de negociabilidade das terras. Mas, isso não revogava a desimportância do mercado imobiliário em face do mercado de escravos. Em 1873, o governo estendera o crédito hipotecário a todos os municípios da província de São Paulo, Paraná e Santa Catarina, tendo como suporte a fazenda, representada sobretudo pelas plantações e pelas instalações [40]. Esse procedimento é seguramente uma das causas da intensificação da expansão do café em direção ao oeste de São Paulo, para a região de Campinas e mais além. Essa expansão tem sido atribuída exclusivamente à mentalidade capitalista dos fazendeiros do oeste, em contraste com seus iguais do Vale do Paraíba, que não possuiriam tal atributo. É bem verdade que na região campineira desde o século XVIII havia surgido uma elite de plantadores de cana-de-açúcar, senhores de engenho, na qual tem origem algumas das principais fortunas modernas de São Paulo. Entretanto, a substituição da cana pelo café demandava capital [41]. Os senhores de engenho mais abonados preferiam, no entanto, investir seus capitais no comércio e não na agricultura, procurando incrementar seus lucros nos setores intermediários [42]. Todavia, tanto os fazendeiros de cana-de-açúcar do oeste quanto os fazendeiros de café do Vale do Paraíba dependiam do trabalho escravo e estavam, portanto, basicamente sujeitos à mesma forma de capital: a renda capitalizada. Personificavam, tanto num lugar como no outro, o rentista e o comerciante. Não só no oeste, mas também no Vale era possível encontrar capitalistas ativos, cuja orientação de modo algum se baseava numa vinculação emocional à terra [43]. Por outro lado, tanto no oeste quanto no vale era possível encontrar na mesma época escravistas empedernidos.

A extensão do crédito hipotecário a todo o território paulista, com base agora nos imóveis, abria assim a possibilidade de substituição do escravo não só como trabalhador mas também como fonte do capital de custeio. Entretanto, quando as primeiras hipotecas foram executadas, surgiram também as primeiras dificuldades com essa inovação. Os comissários, os bancos, os comerciantes não esta-

40. Cf. C. F. Van Delden Laerne, ob. cit., pp. 563-564.
41. Cf. Warren Dean, *Rio Claro — A Brazilian Plantation System, 1820-1920*, Stanford University Press, Stanford, Cal., 1976, p. 33.
42. Maria Teresa Schorer Petrone, *O Barão de Iguape (Um empresário da época da Independência)*, Companhia Editora Nacional, São Paulo, 1976.
43. Sobre os negócios dos fazendeiros-capitalistas do Vale do Paraíba, cf. Alves Motta Sobrinho, *A Civilização do Café*, ob. cit., *passim;* Carlota Pereira de Queiroz, *Vida e Morte de um Capitão-Mor*, Conselho Estadual de Cultura, São Paulo, 1969, *passim.*

vam interessados em se tornar fazendeiros. Alguns alegavam até que nem mesmo sabiam como lidar com uma fazenda de café [44]. Os próprios comissários haviam trabalhado pela criação da carteira hipotecária do Banco do Brasil. Mas a legislação estabelecera "a adjudicação forçada do imóvel penhorado e executado ao credor, na última praça de liquidação e na ausência de licitantes" [45]. Ora, tal solução não interessava aos credores dos fazendeiros insolventes, dado que o que tinha curso no comércio e que era o objetivo de todo o aparato, era o café, a mercadoria em condições de ser comercializada. Obtiveram com isso, em 1885, modificações nas leis, de modo que, no lugar da hipoteca do imóvel, lhes fosse garantida a penhora do fruto pendente e do fruto colhido [46]. Essas alterações eram necessárias igualmente porque, como se vê no quadro anterior, a queda no preço dos escravos, ante o fim previsível e iminente do regime servil, diminuía a capacidade dos fazendeiros levantarem capitais junto a seus credores em proporção ao volume de seus negócios. Basicamente, as relações comerciais tendiam a desorganizar a produção.

Tais modificações expressavam outras, relativamente ao valor da propriedade e à sua realização, definidas a partir, até, de sofisticadas formulações teóricas. Na própria década da abolição da escravatura, já estava claro que o trabalho criava valor e que esse valor não se confundia com a pessoa do escravo, mas se materializava nos objetos trabalhados [47]. Surgiram, por isso, no debate político da época, duas tendências quanto à forma de substituir o trabalho escravo pelo trabalho livre. Para alguns, a questão importante era a de criar condições para que a propriedade fundiária substituísse o escravo como base do crédito hipotecário, como fonte do capital de custeio. E isso poderia ocorrer se além da criação de valor pela incorporação de trabalho à terra, surgissem condições para permitir a realização desse valor. Tal concepção implicava em advogar a fragmentação da propriedade, a criação de uma agricultura de pequenos proprietários, colonos imigrados da Europa. O incremento da demanda por parte desses colonos provocaria artificiosa-

---

44. Cf. David Joslin, *A Century of Banking in Latin America,* Oxford University Press, London, 1963, p. 73 e ss.; Alves Motta Sobrinho, ob. cit., p. 86; Affonso d'E. Taunay, ob. cit., p. 174; Carlos Jordão, "A ação dos comissários no comércio de café", *in O café no segundo centenário de sua introdução no Brasil,* 1º volume, Departamento Nacional do Café, Rio de Janeiro, 1934, esp. p. 399.

45. Affonso d'E. Taunay, ob. cit., p. 174.

46. Affonso d'E. Taunay, *ibidem;* Carlos Jordão, *loc. cit.,* p. 399.

47. Louis Couty, *Ebauches Sociologiques: Le Brésil en 1884,* cit., pp. 130-135; Nazareth Prado, *Antonio Prado no Império e na República,* F. Briguiet & Cia. — Editores, Rio de Janeiro, 1929, pp. 71 e ss.

mente uma elevação no preço das terras de modo a aproximar valor e preço. Desse modo, os bancos e comissários teriam novamente uma contrapartida valorizada para os seus capitais, tal como ocorrera com o escravo antes que o seu preço começasse a deteriorar rapidamente em virtude da perspectiva de um fim iminente para o cativeiro [48].

Reagiram os grandes fazendeiros, sem descartar a possibilidade dos imigrantes se tornarem proprietários de pequenas glebas. Entendiam que o acesso direto à propriedade não deveria consumar-se com a pretendida facilidade, pois houve no Parlamento quem advogasse até a entrega gratuita, pura e simples, das terras aos possíveis colonos [49]. A fórmula que propunham e que acabaram implantando era a de que o imigrante deveria conquistar a propriedade da terra pelo trabalho. Nesse caso, o trabalho prévio na fazenda de café entrava como condição para que o trabalhador se tornasse proprietário.

Combinavam-se de novo, sob outras condições históricas e, portanto, de outra forma, aparentemente invertidos, os elementos de sustentação da economia colonial. A renda capitalizada no escravo transformava-se em renda territorial capitalizada: num regime de terras livres, o trabalho tinha que ser cativo; num regime de trabalho livre, a terra tinha que ser cativa. No Brasil, a renda territorial capitalizada não é essencialmente uma transfigurada herança feudal. Ela é engendrada no bojo da crise do trabalho escravo, como meio para garantir a sujeição do trabalho ao capital, como substituto da expropriação territorial do trabalhador e substituto da acumulação primitiva na produção da força de trabalho. A renda territorial surge da metamorfose da renda capitalizada na pessoa do escravo; surge, portanto, como forma de capital tributária do comércio, como aquisição do direito de exploração da força de trabalho. A propriedade do escravo se transfigura em propriedade da terra como meio para extorquir trabalho e não para extorquir renda. A renda capitalizada não se constitui como instrumento de ócio, mas como instrumento de negócio. Engendra, portanto, um capitalista que personifica o capital produtivo subjugado pelo comércio, a produção cativa da circulação. A melhor evidência está no fato de que o proprietário de terra que vive do arrendamento de suas propriedades a arrendatários capitalistas

---

48. Louis Couty, ob. cit., pp. 90 e ss.; Louis Couty, *Étude de Biologie Industrielle sur le Café*, cit., pp. 92 e ss.; Michael M. Hall, *loc. cit.*, pp. 156-157.

49. "... desde que aumente a população, as terras hão de aumentar de valor, não havendo por conseqüência, razão para que prevaleça a idéia socialista do nobre senador, de que o corpo legislativo deve autorizar a concessão gratuita de terras a particulares para a cultura." Discurso de Antonio Prado no Senado, sessão de 31 de maio de 1887, sobre a questão da propriedade capitalista da terra, *in* Nazareth Prado, *loc. cit.*, p. 170.

é fenômeno raro ainda hoje na sociedade brasileira, circunscrito às regiões arrozeiras do Rio Grande do Sul (e suas regiões tritícolas) e de São Paulo. No mais, o fazendeiro convive a condição de proprietário e capitalista.

Claro está que esse processo não representou uma simples inversão, mera substituição da renda capitalizada no escravo pela renda capitalizada na terra. Ao contrário, ocorre aí uma transformação historicamente decisiva. O trabalho libertado da condição de renda capitalizada, deixa de ser componente do capital para contrapor-se objetivamente ao capital. Nesse processo, ao libertar o trabalhador, o capital se liberta a si mesmo.

A primeira e fundamental conseqüência dessa transformação foi a de que se alterou o polo dinâmico da fazenda de café. Quando a renda capitalizada era representada pelo escravo, o ponto nuclear da fazenda estava no trato do cafezal e na colheita do café. A formação da fazenda (derrubada da mata, limpeza do terreno, plantio e formação do cafezal) era atribuída aos homens livres que coexistiam com o escravo, os caboclos e caipiras, mediante pagamentos ínfimos, baseada sobretudo na possibilidade de utilizarem a terra para produção de alimentos. Por outro lado, o benefício do café, até 1870 mais ou menos, ainda era feito por maquinismos toscos de madeira, fabricados na própria fazenda. Essa ênfase econômica no trato e na colheita responde em grande parte pela lenta expansão do cafezal ao longo do Vale do Paraíba.

Já quando o capital se transfigura em renda territorial capitalizada, a ênfase do empreendimento econômico do café passa a ser a formação da fazenda, pois o seu valor de mercado estará nos frutos que pode produzir, no trabalho materializado nas plantações. O capital deixa de se configurar no trabalhador para configurar-se no resultado do trabalho. O seu valor se contará, pois, pelo número de cafeeiros e por sua produtividade, pela quantidade de arrobas de café que se pode obter de uma árvore em média. Ainda assim, estamos principalmente em face da renda capitalizada e não do capital constante, pois o fazendeiro passou a ter preferência pela abertura de fazendas em terras novas, recém-desmatadas, onde a produtividade do cafeeiro era imensamente maior do que em regiões ocupadas há mais tempo [50]. Fazendeiros deslocavam-se para novas regiões em busca de terras mais férteis. O capital que antes era pago aos traficantes de escravos passou a ser pago às companhias imobiliárias e aos grileiros. A principal fonte de lucro do fazendeiro passou a ser a renda diferencial produzida pela maior fertilidade das terras novas. O surto ferroviário a partir de 1866 tem como

---

50. Affonso d'E. Taunay, ob. cit., pp. 125 e 149.

elemento explicativo essencial a renda diferencial acrescida pelo encurtamento das distâncias. Os lucros das companhias ferroviárias procediam sobretudo da renda diferencial que elas incrementavam incluindo áreas inacessíveis dentro de um circuito de rentabilidade que tinha como referencial o porto de Santos.

Mas, uma outra conseqüência da transformação apontada antes foi um incremento de inversões no equipamento de benefício de café, como máquinas, secadores etc., inclusive porque esses investimentos passaram a ser valorizados na concessão de empréstimos hipotecários em substituição ao escravo. Ao mesmo tempo, começou a adquirir importância econômica o pagamento em dinheiro do trato e da colheita de café feitos por colonos. Em suma, a transformação apontada tornou possível a conversão de parte da renda capitalizada na pessoa do escravo em capital constante e capital variável. É significativo que a modernização do equipamento de benefício de café tivesse início mais ou menos em 1870, quase ao mesmo tempo em que os empréstimos hipotecários eram liberados para os municípios paulistas que não fossem vizinhos da província do Rio de Janeiro. Pouco depois, o escravo é substituído pela fazenda como base das hipotecas. Quase simultaneamente, tem início a imigração em massa subvencionada pelo Estado, que libera o fazendeiro de imobilizar recursos, sob forma de renda capitalizada, na pessoa do cativo. Tudo isso ocorreu no curto prazo de 18 anos, entre 1870 e 1888. São indicações de mudanças objetivas nas condições de produção do café, que deram um significativo suporte à transformação da mentalidade do fazendeiro, de modo a liberá-la da peia representada pelo escravo.

A transformação da renda capitalizada recriou as condições de sujeição do trabalho ao capital, engendrando ao mesmo tempo um sucedâneo ideológico para a coerção física do trabalhador.

Foto rara de escravos no eito, limpando o cafezal. Com a abolição da escravatura e a instauração do regime de colonato, o trabalho coletivo do eito seria substituído pelo trabalho familiar, mediante o pagamento de uma importância em dinheiro para cada mil pés de café tratados. Cada homem adulto cuidava de dois mil cafeeiros

O cafezal avança sobre a floresta: caieiras
de proteção dos cafeeiros recém plantados
contra a insolação. Os restos da cultura
consorciada de milho são o componente
necessário da paisagem, produto da
relação específica entre o empreiteiro e
o fazendeiro. Aquele pagava em cafezal o
direito de usar a terra para plantar
alimentos.
(Foto: L. Misson, c. 1906)

Abertura de uma fazenda: no primeiro plano a derrubada para o plantio do cafezal; no centro a colônia e instalações da fazenda; no fundo o cafezal recém formado.
(Foto: c. 1909)

Colonos italianos transportam os
jacazinhos com novas mudas de café para
replantio nas falhas do cafezal. A
replanta era de obrigação do empreiteiro,
que no final do contrato, de 4 a 6 anos,
recebia uma importância fixa por número
de cafeeiros plantados e em produção.
(Foto: J. Michel, 1907)

Fazenda Palestina: no primeiro plano o
cafezal; no centro o pomar, as instalações
da fazenda e a colônia; no fundo a
floresta virgem, reserva para futuras
ampliações do cafezal.
(Foto: c. 1909)

Colônia de uma fazenda de café na região da Companhia Paulista de Estradas de Ferro.
(Foto: c. 1921)

Colonos da Fazenda Guatapará, de
Ribeirão Preto. Ao fundo as instalações
de beneficiamento do café.
(Foto: c. 1909)

Colonos no páteo da casa grande de uma
antiga fazenda, no domingo.
(Foto: c. 1921)

Camaradas diaristas fazem a poda dos
cafeeiros, trabalho que estava fora da
rotina e das obrigações do colono.
(Foto: J. Michel, 1907)

Fazenda Boa Vista, em São Manuel:
Colonos no carreador, apetrechados para a
colheita do café. Mulheres e adolescentes
e crianças de ambos os sexos faziam
obrigatoriamente parte da força de
trabalho no regime de colonato.
(Foto: c. 1909)

O fiscal anota o café colhido e medido nos jacás pelos colonos da Fazenda Boa Vista, de São Manuel.
(Foto: c. 1909)

Colheita de café à beira do carreador e
transporte para o terreiro por carroça.
Muitas vezes um adulto, na escada,
trabalhava no topo do cafeeiro, enquanto
os outros trabalhadores colhiam o café
no meio da planta e na saia do cafeeiro.
Esta última tarefa era geralmente
feita por crianças.
(Foto: Guilhome Gaensly, c. 1909)

Colheita de café na Fazenda Guatapará, em Ribeirão Preto. Sob cada cafeeiro os lençóis estendidos para receber o café derriçado e evitar a mistura com terrões, gravetos e cisco do solo, facilitando a abanação. (Foto: c. 1909)

Colheita de café numa fazenda de Araraquara. A família colhe as cerejas e entrega ao carreiro o café medido em jacás para ser levado ao terreiro e anotado no seu registro de contas correntes junto ao fazendeiro.
(Foto: Guilhome Gaensly, c. 1909)

Vista panorâmica da sede de uma fazenda
na época da safra: no primeiro plano,
os trabalhadores ensacam café no terreiro;
no fundo a casa grande, o sino que
regulava a jornada de trabalho, as
instalações de benefício, o pasto
e o cafezal.
(Foto: c. 1921)

Secagem de café na Fazenda Santa Genebra, em Campinas, no terreiro defronte à residência do fazendeiro, Barão Geraldo de Rezende. (Foto: Nickelsen)

Embarque de café no porto de Santos.
Cada trabalhador carrega de uma só vez
duas sacas de 60 kg.
(Fotos: c. 1909)

II

A FORMAÇÃO DA FAZENDA DE CAFÉ: CONVERSÃO DA RENDA-EM-TRABALHO EM CAPITAL

A Lei de Terras de 1850 e a legislação subseqüente codificaram os interesses combinados de fazendeiros e comerciantes, instituindo as garantias legais e judiciais de continuidade da exploração da força de trabalho, mesmo que o cativeiro entrasse em colapso. Na iminência de transformações nas condições do regime escravista, que poderiam comprometer a sujeição do trabalhador, criavam as condições que garantissem, ao menos, a sujeição do trabalho[51]. Importava menos a garantia de um monopólio de classe sobre a terra, do que a garantia de uma oferta compulsória de força de trabalho à grande lavoura. De fato, porém, independentemente das intenções envolvidas, a criação de um instrumental legal e jurídico para efetivar esse monopólio, pondo o peso do Estado do lado do grande fazendeiro, dificultava o acesso à terra aos trabalhadores sem recurso.

---

51. "... o imigrante deveria ser previamente trabalhador da grande fazenda e a possibilidade de transformar-se em proprietário dependeria dos ganhos que assim obtivesse, ganhos esses condicionados pelos interesses do fazendeiro." José de Souza Martins, *A Imigração e a Crise do Brasil Agrário*, Livraria Pioneira Editora, São Paulo, 1973, p. 52. "A única maneira de obter trabalho livre, nessas circunstâncias, seria criar obstáculos à propriedade rural, de modo que o trabalhador livre, incapaz de adquirir terras, fosse forçado a trabalhar nas fazendas." Cf. Emília Viotti da Costa, *Da Monarquia à República: Momentos Decisivos*, cit., p. 133. "Como se sabe, um dos fatores considerados como responsáveis pela expansão cafeeira é constituído pela abundância de terras. Em conseqüência do que vimos até aqui, devemos considerar a abundância de terras como algo relativo. À abundância de terras para o capital está associada a não abundância para aqueles que devem constituir o mercado de trabalho." Cf. Sergio Silva, *Expansão Cafeeira e Origens da Indústria no Brasil*, cit., p. 73.

A extensão e a abundância de terras devolutas, teoricamente desocupadas, virtualmente disponíveis para serem incorporadas pela grande lavoura, tanto antes quanto na vigência da legislação fundiária, não eram fatores suficientes para dar continuidade à expansão do café. Além da abundância de terras era necessária a abundância de mão-de-obra disposta a aceitar a substituição do escravo.

Trabalhar para vir a ser proprietário foi a fórmula definida para integrar o imigrante na produção do café. Esse imigrante estava essencialmente em antagonismo com o cativeiro, que temia e repudiava, se não para o negro, ao menos para si. Repudiava, igualmente, qualquer identificação com o negro. O próprio fazendeiro acautelava-se para não dispensar ao imigrante o mesmo tratamento que dispensava ao escravo quando ambos chegaram a coexistir na fazenda. Inaugurando um novo secador de café, um fazendeiro de Campinas promoveu uma grande comemoração, devidamente hierarquizada, que é uma significativa indicação a respeito: "à tarde foi servido, no terreiro da fazenda, um grande jantar aos escravos ... (...) Às 6 horas da tarde foi servido o banquete aos convidados, na sala de jantar ... (...) Às 7 horas foi servido, em outra sala do prédio, o lauto jantar aos colonos ..." [52]. Os do terreiro, os de fora, não eram iguais aos de dentro da casa. Mas, dentro da casa havia o jantar do fazendeiro e o jantar do colono, o que come antes e o que come depois. Embora desiguais, fazendeiro e imigrante são vinculados entre si por uma identidade básica, a identidade de quem come no interior da casa-grande. Nesse plano o imigrante está contraposto à senzala. Condenado a trabalhar, o seu trabalho, na sua interpretação, é radicalmente diferente do trabalho do negro cativo. Na lúcida observação de um contemporâneo, "a escravatura (...) desonrou o trabalho, enobreceu a ociosidade ..."[53]. A condição de homem livre para ser concebida como condição compatível com o trabalho tinha que passar por redefinições ideológicas radicais, pois, para o negro, "a liberdade era (...) a liberdade de nada fazer ..."[54]. É claro que para o branco, tais avaliações tinham como parâmetro o negro escravizado, o negro sem vontade, cujo querer era o querer do seu senhor. Quando o negro, libertado, fazia valer a sua liberdade, era acoimado de vagabundo, porque, para o branco, querer de negro era querer de sujeição, embora para o negro fosse afirmação e consciência da liberdade.

52. Amelia de Rezende Martins, *Um Idealista Realizador: Barão Geraldo de Rezende,* Oficinas Gráficas do Almanak Laemmert, Rio de Janeiro, 1939, pp. 325-326.

53. Max Leclerc, *Lettres du Brésil,* E. Plon, Nourrit et Cie., Imprimeurs-Éditeurs, Paris, 1890, pp. 212-213; Maria Isaura Pereira de Queiroz, *loc. cit.,* p. 206.

54. Max Leclerc, ob. cit., p. 101.

Do mesmo modo que para o fazendeiro, também para o imigrante ser livre era o mesmo que ser proprietário. A sua designação como colono já era parte de um ardil ideológico que o comprometia com a propriedade. Nos lugares de emigração, na Europa, colono era a denominação de quem ia colonizar as regiões novas dos Estados Unidos ou da Austrália. No Brasil, entretanto, colono passou a ser sinônimo de empregado. Por oposição ao escravo, o colono entra na produção do café pela valorização do trabalho, não só porque o trabalho fosse uma virtude da liberdade, mas porque era condição da propriedade. Essa vinculação ideológica entre trabalho e propriedade, essa identificação básica entre a colônia e a casa-grande, terá repercussões na vida da fazenda e na elaboração das relações de produção com base no trabalho livre.

Ao contrário do que parece crer a maioria dos autores que tem feito referências à substituição do trabalho escravo pelo trabalho livre, essa passagem foi relativamente complicada e tensa [55]. Embora a suposta mentalidade escravocrata do fazendeiro possa ter oferecido dificuldades no relacionamento com o imigrante, a verdade é que as condições objetivas da substituição do negro pelo branco sofreram de imediato poucas modificações em relação às condições escravistas. Como a escravidão não era mera instituição, mas sim uma relação real fundada em condições históricas definidas, a sua supressão jurídica ou a mera incorporação produtiva do trabalho do homem livre, não eram suficientes para alterar o teor do vínculo entre o fazendeiro e o trabalhador. A mentalidade do fazendeiro tinha, pois, raízes sociais definidas e expressava a forma de capital que estava na base do seu empreendimento. Isso valia tanto para os fazendeiros do Vale do Paraíba quanto para os do "oeste" de São Paulo, onde justamente havia claras dificuldades para incorporar o imigrante ao trabalho das fazendas [56].

---

55. Uma das exceções é o trabalho de Sérgio Buarque de Holanda, "Prefácio do Tradutor", in Thomas Davatz, *Memórias de um Colono no Brasil (1850)*, tradução, prefácio e notas de Sérgio Buarque de Holanda, Livraria Martins, S. Paulo, 1941, pp. 5-35.

56. "Na verdade, com tal esquema, não se faz mais do que repetir, reformulando-a, embora, e com pretensão científica, a ideologia do Oeste paulista que atribuía aos fazendeiros do Vale o epíteto de 'emperrados'. Ora, o papel da análise, a nosso ver, consiste justamente em procurar compreender as condições estruturais que impeliram a lavoura da área mais nova a buscar definições econômicas diversas estimulando nos seus fazendeiros um comportamento diferencial e, correlatamente, a 'mentalidade' peculiar — agora percebida como *resultante* e não mais, de forma simplista, como *causa*." Cf. Paula Beiguelman, *A Formação do Povo no Complexo Cafeeiro: Aspectos Políticos*, Livraria Pioneira Editora, São Paulo, 1968, p. 72.

Por esse motivo, a simples possibilidade de trazer para o Brasil imigrantes, trabalhadores livres que se integrassem na produção do café, não era suficiente para efetivar a inversão da combinação contraditória de trabalho cativo e terra livre. O avanço da cultura cafeeira sobre novas áreas dependia fundamentalmente de mão-de-obra, sem o que a terra tinha pouca utilidade. Mas, na crise de transição, trabalho livre também tinha um sentido muito particular para o fazendeiro, que de modo algum se explicitava plena ou principalmente na sua formulação jurídica. O trabalho livre era concretamente o trabalho libertado do tributo ao traficante, da transferência de capital da produção ao comércio, era o trabalho libertado da condição de renda capitalizada; era o trabalho que entrava no processo produtivo completamente desonerado. O branco imigrante não estava necessariamente livre de tributo, conquanto fosse juridicamente livre. É quase uma regra argumentar pela superioridade do trabalho livre da região de Campinas em relação ao trabalho escravo do Vale do Paraíba. Tal argumento, porém, acoberta um fato crucial: o trabalho livre que se implanta na região de Campinas, no antigo "oeste", não é radicalmente diferente do trabalho escravo do Vale. O trabalhador entra no processo produtivo igualmente como renda capitalizada, já que o fazendeiro, como veremos adiante, tinha que custear transporte, alimentação e instalação do colono e sua família. Esse dispêndio podia ser inferior ao preço do escravo, mas alterava em muito pouco a qualidade da relação entre o fazendeiro e o colono. O trabalho continuava assumindo a forma de renda capitalizada do fazendeiro. Ele pôde, ainda assim, ser incorporado porque na região campineira não existia o problema de aquisição de terras novas. Muitas fazendas de café resultaram da transformação de antigas fazendas de cana-de-açúcar[57]. Essas terras antigas haviam sido obtidas por cartas de sesmarias ainda no século XVIII, quando muito no começo do século XIX, e geralmente haviam permanecido no patrimônio das famílias através da herança.

A questão da relação entre a terra e o trabalho vai surgir plenamente no oeste novo, depois de 1870, após o desaparecimento da renda capitalizada na pessoa do trabalhador, ao final de um processo demorado e complicado. Somente com esse desaparecimento, com a libertação do trabalhador da peia que o prendia ao capital comercial, é que se tornaria possível desvendar a importância do monopólio de classe sobre a terra no processo de formação não-capitalista do capital do café.

<hr>

57. Amelia de Rezende Martins, ob. cit., p. 155; Carlota Pereira de Queiroz, *Um Fazendeiro Paulista no Século XIX*, cit., p. 22 e ss.; Maria Paes de Barros, *No Tempo de Dantes*, Editora Brasiliense Ltda., São Paulo, 1946, pp. 68-69; Warren Dean, *Rio Claro — A Brazilian Plantation System: 1820-1920*, cit., pp. 25 e ss.

Já com a cessação do tráfico negreiro teve início a adoção do regime de parceria em várias fazendas, experimentado inicialmente com imigrantes suíços na Fazenda Ibicaba, da firma Vergueiro & Cia., na região campineira [58].

Na parceria, conforme o contrato assinado com os colonos suíços, "vendido o café por Vergueiro & Cia. pertencerá a estes a metade do seu produto líquido, e a outra metade ao (...) colono" [59]. Entretanto, o parceiro era onerado com várias despesas, a principal das quais era o pagamento do transporte e gastos de viagem dele e de toda a sua família, além da sua manutenção até os primeiros resultados do seu trabalho. Diversos procedimentos agravavam os débitos, como a manipulação de taxas cambiais, juros sobre adiantamentos, preços excessivos cobrados no armazém (em comparação com os preços das cidades próximas), além de vários abusos e restrições que, no caso específico de Ibicaba, logo levaram a uma rebelião [60]. Esses recursos protelavam a remissão dos débitos dos colonos, protelando a servidão virtual em que se encontravam. Aos olhos de um dos colonos, tais fatos significavam que "o colono europeu só vale mais do que os negros africanos pelo fato de proporcionar lucros maiores e de custar menos dinheiro" [61]. O colono Thomas Davatz, em suas conhecidas memórias, infere daí toda a problemática realização do trabalho livre nas condições da economia brasileira. Ao chegar ao porto de Santos, assinala, "os colonos já são, de certo modo, uma propriedade da firma Vergueiro" [62]. O princípio da propriedade tende a dominar todos os fatores envolvidos no processo produtivo: "o solo é propriedade do patrão e os moradores também o são de certo modo ..." Isso se deve basicamente a que, tendo feito despesas na importação da mão-de-obra, o fazendeiro sentia-se impelido a desenvolver mecanismos de retenção dos trabalhadores em suas terras: "os patrões (...) quase não dão dinheiro aos seus colonos, a fim de prendê-los ainda mais a si ou às fazendas" [63]. Desse modo, o trabalhador não entrava no mercado de trabalho como proprietário da sua força de trabalho, como homem verdadeiramente livre. Quando não estava satisfeito com um patrão, querendo mudar de fazenda, só podia fazê-lo procurando "para si próprio um novo comprador e proprietário" [64], isto é, alguém que saldasse seus débitos para com o fazendeiro.

---

58. José Sebastião Witter, *Um estabelecimento agrícola da Província de São Paulo nos meados do Século XIX*, Coleção da "Revista de História", vol. L, São Paulo, 1974. Cf., também, José de Souza Martins, ob. cit., p. 53.
59. Thomas Davatz, ob. cit., p. 235.
60. *Ibidem*, p. 197.
61. *Ibidem*, p. 212.
62. *Ibidem*, p. 72.
63. *Ibidem*, p. 91.
64. *Ibidem*, p. 116.

O caráter opressivo do sistema de parceria adotado pela firma Vergueiro & Cia. era manifesto sobretudo no fato de que, embora os colonos fossem juridicamente livres, não o eram economicamente, do que resultava uma situação similar à do escravo. A aguda consciência que tinham desse fato culminou com uma sublevação a 24 de dezembro de 1856, acoimada de socialista e comunista, que comprometeu a parceria como meio de introdução do trabalho livre nas plantações de café. De fato, ante a possibilidade de enfrentarem problema idêntico em suas fazendas, os outros cafeicultores introduziram modificações nos critérios econômicos de absorção do trabalho dos colonos.

No lugar da parceria surgiu uma variedade de esquemas de relacionamento entre colonos e fazendeiros [65]. Uma fórmula, porém, que adquiriu notoriedade foi a das colônias particulares. Ela diferia da parceria na modalidade de pagamento do trabalho. A família de colonos recebia um pagamento fixo pelo trato da parte do cafezal a seu cargo, tendo que fazer de 5 a 6 carpas por ano. Na colheita, recebia uma quantia determinada por alqueire de café colhido, o que representava uma importância variável a cada ano, dependente da produtividade do cafezal [66]. Tal critério não removeu a questão da liberdade do colono, ainda sujeito ao pagamento de débitos, juros e multas [67]. Sua melhor aceitação em relação ao regime de parceria deveu-se à melhora nos ganhos do colono, acelerando a remissão dos débitos e tornando viável a independência econômica do trabalhador.

Isso não impedia, entretanto, a ocorrência de dificuldades nas relações de trabalho, derivadas basicamente do fato de que o fazendeiro, tendo subvencionado a vinda do imigrante, considerava o colono propriedade sua. O Visconde de Indaiatuba, cafeicultor na região de Campinas, referia-se aos trabalhadores de sua fazenda como "meus colonos" [68]. Essa concepção de propriedade sobre o trabalhador tinha graves implicações sobre a liberdade civil do colono, já que com isso todas as suas relações sociais não econômicas ficavam sujeitas aos critérios da exploração econômica. Indaiatuba assinala, indignado, por exemplo, que outro fazendeiro, em 1874, "promovera casamento entre um seu colono e uma colona minha [69]". Essa era

65. Pierre Denis, *Le Brésil au XXe. Siécle*, 7e. tirage, Librairie Armand Colin, Paris, 1928, p. 126.
66. Visconde de Indaiatuba, *Memorandum, apud* Odilon Nogueira de Matos, "O Visconde de Indaiatuba e o trabalho livre em São Paulo", *in Anais do VI Simpósio Nacional dos Professores Universitários de História* ("Trabalho Livre e Trabalho Escravo"), volume I, Coleção da "Revista de História", São Paulo, 1973, p. 777; Pierre Denis, ob. cit., p. 126.
67. Visconde de Indaiatuba, *loc. cit.*, p. 769.
68. *Ibidem,* p. 769.
69. *Ibidem,* p. 770.

na verdade uma técnica de aliciamento, mediante a qual o fazendeiro podia obter mão-de-obra sem fazer investimento de capital no recrutamento e transporte de imigrantes estrangeiros.

A partir de 1870 essa dificuldade seria atenuada com a inauguração da imigração subvencionada pelo governo da província de São Paulo [70]. Os imigrantes, entretanto, eram de preferência localizados em colônias oficiais, em regime de pequena propriedade. O governo pagava as despesas de transporte para o Brasil até a localidade de fixação do imigrante e sua família. Além de custear e financiar a terra e as despesas iniciais, mantinha um regime de tutela sobre o colono geralmente durante um período de dois anos. Esse critério não visava ampliar o número de plantadores de café, já que o problema não estava no número de proprietários, mas no número de trabalhadores necessários à cultura cafeeira. Os colonos foram geralmente colocados em terras impróprias para café ou cana, na esperança de que se dedicassem à produção de alimentos baratos, como milho, feijão, arroz e mandioca. Esses alimentos, embora muito consumidos, não tinham um mercado significativo, já que todas as fazendas e sítios os produziam para seu próprio consumo. Basicamente, essa produção garantiria a alimentação da família imigrante. A aquisição de roupas, remédios e, eventualmente, outras mercadorias, dependentes de dinheiro, teria que ser feita mediante trabalho assalariado. O governo, constituído, aliás de grandes fazendeiros e seus representantes, procurava organizar viveiros de mão-de-obra que se oferecesse às fazendas de café para o trato e a colheita à medida que isso fosse necessário.

Foram muitas as queixas contra tal sistema, pois nem sempre as colônias eram localizadas junto às grandes fazendas mais necessitadas de trabalhadores. A imigração subvencionada para criação de colônias oficiais teve, porém, uma grande importância. Fundamentalmente, instituiu a intervenção do Estado na formação do contingente de força de trabalho, como uma espécie de subvenção pública à formação do capital da grande fazenda. Esse era um ponto de grande resistência política, pois implicava desviar recursos públicos para um único setor da economia, o do café, além de tudo muito localizado regionalmente no sudeste do país. É por isso que todo o debate parlamentar sobre a abolição da escravatura é ao mesmo tempo um debate sobre a propriedade fundiária e sobre a colonização. A diversidade de interesses econômicos, por exemplo entre os fazendeiros de cana do nordeste e os fazendeiros de café do sudeste do país, complicava-se com a diversidade de interesses entre os fazendeiros de café da região fluminense e os fazendeiros

---

70. Pierre Denis, ob. cit., p. 128.

de café da região paulista (pois, os primeiros haviam constituído suas fazendas estritamente com base no trabalho escravo, enquanto os segundos o fizeram já no bojo da crise dessa modalidade de exploração da força de trabalho).

A solução do problema foi encontrada com a manutenção, em linhas gerais, das relações de trabalho instituídas com as colônias particulares instaladas no interior das fazendas. Apenas, o fazendeiro já não teria que arcar com as despesas da imigração, que passaria a ser subvencionada pelo Estado, ficando liberado das imobilizações de capital que fazia na pessoa do colono, sob a forma de renda capitalizada, com os dispêndios junto a agenciadores, companhias marítimas etc. Ao invés de encaminhar os imigrantes, recrutados por agenciadores a serviço do governo, para colônias oficiais, eles passaram a ser encaminhados às próprias fazendas de café. Um dos maiores cafeicultores e empresários da época, seguramente o maior responsável pela fórmula que viabilizou o fim da escravatura, assinalava no Senado do Império, em 1888, poucos meses depois da abolição, que não conhecia outro meio para atender a demanda de braços para o trabalho senão aquele que "o governo se tem esforçado para empregar em larga escala, isto é, a introdução de imigrantes, e pelo modo por que pretende dirigi-la, fornecendo trabalhadores idôneos à lavoura sem que os lavradores tenham necessidade de, para este fim, dispender capitais" [71].

Como muitos fazendeiros pretendiam receber indenizações do Estado pelos lucros cessantes advindos da extinção da escravatura, já que tinham imobilizado seus capitais nas pessoas de seus escravos, a resposta oficial representou uma significativa recusa da mentalidade baseada na renda capitalizada. Mais importante do que a propriedade sobre o trabalhador era assegurar o trabalho que cria a riqueza, que cria valor [72]. Os fazendeiros não deixaram de receber uma indenização muito mais significativa do que aquela que pretendiam. Eles não foram pagos "pela reposição de seu suprimento de trabalho; mas, foram pagos pela totalidade da população, incluindo os homens livres" [73]. Ao contrário, pois, receberam a garantia de um fluxo contínuo de trabalhadores sem o menor dispêndio de capital. Somente com a intervenção do Estado foi possível quebrar o circuito do trabalho cativo, procedendo-se a uma socialização dos custos de formação da força de trabalho e criando-se as condições para que se instituísse o trabalho livre e o mercado de trabalho [74]. A intervenção do Estado na formação do contingente de mão-de-obra para

---

71. Nazareth Prado, ob. cit., p. 282.
72. *Ibidem*, pp. 26 e 71 e ss.
73. Warren Dean, ob. cit., p. 158.
74. José de Souza Martins, ob. cit., pp. 55 e ss.

as fazendas de café representou, de fato, o fornecimento de subsídios para a formação do capital do empreendimento cafeeiro.

É comum encontrar-se referências, nos estudos sobre o fim da escravidão negra, à importância desse acontecimento na racionalização interna da fazenda de café, dado que a partir de então teria sido possível instituir uma contabilidade de custos da força de trabalho absorvida na produção. Teriam surgido, assim, as condições para dar à ação do fazendeiro o seu caráter capitalista ou as condições para que a mentalidade do fazendeiro se transformasse em mentalidade capitalista. Essa suposição teoricamente clara é, no entanto, empiricamente improvável, pois, a teoria, nesse caso, tem pouco a ver com a complexidade da situação em que se deu a transformação do regime de trabalho no café. As relações de produção instituídas na fazenda de café, com o advento do trabalho livre, não eram relações integral e caracteristicamente mediadas pelo salário em dinheiro, único meio de integrá-las numa contabilidade de custos da fazenda. Quase no final do século, um técnico constatava, a propósito, que: "O sistema de colonos e o modo de pagamento a ele inerente tornam de antemão impossível uma determinação exata do custo da produção do café nas fazendas, pois, grande parte dos fatores de que se compõe o 'pagamento' neste caso escapa a um cálculo até aproximativo. Não há meio que permita avaliar e exprimir em dinheiro as vantagens oferecidas aos colonos em forma de casa de morada, pastos, terrenos para plantar mantimentos etc. Também os contratos de empreitada dificultam bastante uma análise clara do dispêndio em mão d'obra de um lado e em dinheiro de outro lado" [75].

Nesse caso, é de outra ordem a explicação para a expansão econômica do café, principalmente a partir de 1870. Sendo o escravo, como se viu, renda capitalizada, nele se imobilizavam grandes somas de capitais. Tais imobilizações continuaram ocorrendo, ainda que provavelmente em escala menor, até mesmo no trabalhador livre,

---

75. *Relatório Annual do Instituto Agronomico do Estado de S. Paulo (Brazil) em Campinas — 1894 e 1895*, volume VII e VIII, publicado pelo Director Dr. phil. F. W. Dafert, M. A., Typographia da Companhia Industrial de S. Paulo, 1896, pp. 196-197. José Cesar Gnaccarini observa que já no contexto da escravidão o cálculo racional era impossível pelos mesmos motivos: "É por essa razão fundamental, de que a escravidão produz para a subsistência, que o cálculo racional está fora das possibilidades da sociedade patrimonialista-escravista". Cf. *Formação da Empresa e Relações de Trabalho no Brasil Rural*, tese apresentada à Cadeira de Sociologia I da Faculdade de Filosofia, Ciências e Letras da Universidade de São Paulo, para obtenção do título de Mestre, São Paulo, 1966, p. 142 (nota 28), ms. Infelizmente, esse estudo fundamental para o atual debate sobre as relações de produção no campo permanece inexplicavelmente inédito.

trazido ao Brasil pelo fazendeiro, como se fosse verdadeira mercadoria. Somente com a imigração subvencionada pelo Estado é que essa parcela de capital foi liberada. Mas, tal liberação não se dava, é claro, em relação aos trabalhadores já possuídos pela fazenda. Quem quisesse receber esse subsídio teria que encontrar meios de incorporar novos e maiores contingentes de imigrantes subvencionados (ou mesmo, é claro, dos chamados imigrantes espontâneos, que arcavam com os débitos de sua própria viagem). Com a imigração subvencionada, o fazendeiro não poupava capital, como pretendia Antonio Prado, mas ganhava capital, dado que cada trabalhador chegado à fazenda representava um efetivo dispêndio em dinheiro feito com recursos públicos. Ora, a forma de incorporar essa modalidade de capital ao processo produtivo era a abertura de novas fazendas, a ampliação dos cafezais. Durante mais de um século, a "falta de braços para a lavoura" foi a mais reiterada reclamação dos fazendeiros, mesmo em momentos de crise de superprodução e de baixa de preços do café, como ocorreu na passagem do século. Mais do que a reposição cíclica da mão-de-obra, já que o colono tinha uma existência transitória na fazenda [76], essa reivindicação constitui na verdade o meio de pressão para uma permanente obtenção de subsídio disfarçado.

Sob essas condições, a formação de fazendas transformou-se num novo e grande negócio. Além de produzir café, o fazendeiro passou a produzir, também, fazendas de café. A febril abertura de novas fazendas, depois da efetiva liberação da mão-de-obra, o deslocamento contínuo de fazendeiros de um lugar para outro em busca de novas terras, a rápida ocupação de regiões que ainda não haviam sido absorvidas pela economia de exportação, produziram muito depressa, já no começo do século, uma grande elevação no preço das terras [77]. O que em 1880 era apenas especulação teórica, tendo em vista um substituto para as hipotecas feitas sobre os escravos, vinte anos depois era realidade: a terra havia alcançado alto preço, assumindo plenamente a equivalência de capital, sob a forma de renda territorial capitalizada.

A procura de terras novas foi, porém, um complicado componente da história das fazendas de café. Como indiquei antes, uma verdadeira indústria de grilagem de terras surgiu e ganhou corpo

---

76. "... o problema do abastecimento de mão-de-obra como que se regenerava, repetindo-se ciclicamente um estado de carência." Cf. Maria Sylvia de Carvalho Franco, ob. cit., p. 195.

77. Cf. Sérgio Milliet, *Roteiro do Café e Outros Ensaios,* 3ª edição, Coleção Departamento de Cultura, São Paulo, 1941; Pierre Monbeig, *Pionniers et Planteurs de São Paulo,* Librairie Armand Colin, Paris, 1952, p. 128; Pierre Denis, ob. cit., pp. 161-162.

principalmente a partir de 1870, a ponto de que algumas medidas legislativas foram tomadas em São Paulo até o final do século, ampliando o prazo de legitimação de posses que cessara em 1854. Todo um conjunto de atividades lícitas e ilícitas tinha um preço e esse passou a ser o principal componente do preço da terra. As despesas realizadas com subornos, demarcações, tocaias a posseiros intransigentes, pagamentos a topógrafos e jagunços, constituíam o fundamento do preço que a terra adquiria através do grileiro[78]. Mas, em troca o fazendeiro recebia a terra livre e desembaraçada, cuja propriedade dificilmente seria contestada judicialmente. A renda capitalizada passou a ser, em parte, a contrapartida do tributo pago pelo fazendeiro ao grileiro. Formalmente, o avanço da propriedade privada sobre as terras devolutas ocorria por meio da compra, através de títulos reconhecidos pelos tribunais[79]. Mas as coisas ocorriam desse modo para preservar o capital representado pelo café; para que a eventual contestação da propriedade não levasse à perda do cafezal. Por isso, a transformação da terra em propriedade privada, que pudesse ser comprada pelo fazendeiro, antes de se converter em renda territorial capitalizada, era objeto de outro empreendimento econômico — o do grileiro, às vezes verdadeiras empresas. No processo de transformação do capital em renda capitalizada, o grileiro substitui o antigo traficante de escravos.

A imigração em massa não se destinava, em geral, à abertura de novas fazendas. O colono não era, via de regra, ao menos nos primeiros tempos, formador de café, circunscrevendo-se ao trato e à colheita. Mas, a possibilidade de formação de novos cafezais dependia, ainda assim, desse imigrante. É que de nada adiantava formar cafezais se não houvesse quem deles cuidasse depois e, principalmente, quem colhesse o café. Garantida a entrada contínua de trabalhadores para a cafeicultura, tornava-se possível expandir as plantações. Para essa tarefa eram mobilizados caboclos e caipiras ou outros trabalhadores "nacionais", como então se dizia. Ao menos

---

78. Cf. Amador Nogueira Cobra, *Em um Recanto do Sertão Paulista*, Typ. Hennies Irmãos, São Paulo, 1923, *passim;* Pierre Monbeig, ob. cit., p. 122 e ss.; J. R. de Araujo Filho, "O Café, riqueza paulista", *in Boletim Paulista de Geografia*, nº 23, Associação dos Geógrafos Brasileiros, São Paulo, julho de 1956, p. 105. A etapa de formalização da apropriação capitalista da terra era, e continua sendo, objeto de conflitos entre posseiros e grileiros, constituindo-se estes na ponta de lança da conversão do capital em renda territorial capitalizada. Cf. José de Souza Martins, *Capitalismo e Tradicionalismo*, Livraria Pioneira Editora, São Paulo, 1975.

79. "... a cafeicultura propiciou a apropriação privada das terras devolutas disponíveis na região. Mas essa apropriação, em geral, foi realizada por meio da compra das terras." Octavio Ianni, *A classe operária vai ao campo*, Cebrap, São Paulo, 1976, p. 7.

o trabalho de desmatamento, queima e limpeza do terreno era invariavelmente feito por esses trabalhadores. Nesse sentido, quase não havia diferença entre a época de vigência do trabalho escravo e a de vigência do trabalho livre. A preparação dos terrenos era preferencialmente feita por homens livres, agregados dos fazendeiros ou antigos posseiros das áreas em que as fazendas vieram a se estabelecer.

A formação da fazenda compreendia a derrubada da mata virgem, a limpa e preparação do terreno, o plantio do café e a formação dos arbustos. Se o plantio fosse de semente, apenas depois de 6 anos o cafezal era considerado formado. Se fosse, porém, de muda, isso ocorria já aos 4 anos [80]. No regime de trabalho escravo, os fazendeiros empregavam de preferência caboclos ou caipiras, para a derrubada da mata. Esses trabalhadores livres, conhecidos como "camaradas", eram pagos à razão de 2 mil a 2 mil e 500 réis por dia com comida, entre 1883 e 1884. Entretanto, para evitar o ônus da fiscalização do trabalho, os fazendeiros preferiam dar o serviço de empreitada, mediante pagamento por área derrubada e limpa [81]. Couty considerava módico, em 1883, o preço pago por esses serviços feitos geralmente por caboclos que raramente faziam as plantações [82].

Os fazendeiros preferiam, na medida do possível, poupar seus escravos dessas tarefas. Fala-se, freqüentemente, que isso decorria do risco envolvido sobretudo na fase da derrubada, o que poderia comprometer o capital imobilizado no escravo. Tudo indica, porém, que a razão era outra. O longo período de formação do cafezal, de 4 a 6 anos, exigiria grandes imobilizações de capital se o trabalho tivesse que ser inteiramente executado por escravos. Por isso, o trabalho cativo ficava, preferencialmente, restrito ao trato do cafezal e à colheita do café, tarefas inadiáveis, mas de retorno econômico rápido, quando muito um ano. As dificuldades de obtenção de capitais a longo prazo eram notórias. Os bancos estrangeiros, por exemplo, só emprestavam para a fase de comercialização da safra, pois dependiam do retorno dos capitais emprestados a fim de removê-los para o nordeste e financiar a safra de açúcar ou para o sul e financiar o comércio de charque. Um pequeno atraso na recuperação desses capitais provocava crises econômicas de grande repercussão [83]. Os comissários, também dependentes dos bancos, não podiam arcar com financiamentos de longo prazo.

---

80. Louis Couty, *Étude de Biologie Industrielle sur le Café*, cit., pp. 7-8.
81. C. F. Van Delden Laerne, ob. cit., p. 244.
82. Louis Couty, ob. cit., pp. 5 e 119.
83. J. Pandiá Calógeras, *A Política Monetária do Brasil*, cit., p. 172; David Joslin, ob. cit., esp. pp. 64-68 e 78-79.

Por essas razões, o fazendeiro optava pelo trabalho de homens livres, agregados de sua fazenda ou não, caboclos ou caipiras. O dispêndio monetário era restringido, dado que os trabalhadores deslocavam-se com suas famílias para os locais de derrubada, onde armavam seus ranchos. Sua subsistência era fornecida pelo fazendeiro e descontada da quantia pela qual fora feita a empreitada. Entretanto, há casos assinalados de empreiteiros que empregavam seus escravos nessas tarefas [84].

O advento do trabalho livre, quanto às relações de produção, afetou menos a formação do cafezal do que o funcionamento da fazenda já instalada. No começo dos anos oitenta Delden Laerne observara que "de modo algum são os colonos *plantadores* de café, eles apenas o *colhem*" [85]. Nessa mesma época um fazendeiro escrevia uma carta dizendo que colonos "só posso ter Brasileiros e estes só formam (quando formam) café, depois é preciso estrangeiros" [86]. Esses trabalhadores brasileiros procediam até mesmo de regiões distantes, como centenas de baianos trazidos, em 1885, para plantar meio milhão de pés de café na fazenda Guatapará [87].

Denis observava, no começo do século, que "o plantador pobre de capitais e desejoso de evitar todas as atribulações de um trabalho que não se tornaria produtivo senão após vários anos, tratava com um empreiteiro. O empreiteiro recebia a terra virgem e se propunha a devolvê-la quatro anos mais tarde plantada de cafeeiros. Ele fazia a derrubada, cultivava o milho entre as plantas ainda jovens e, ao fim de quatro anos, recebia do proprietário a soma de 400 réis por pé de café. Às vezes eram os alemães que trabalhavam nessas derrubadas, mais seguidamente, porém, os brasileiros, os naturais de Minas" [88].

Entretanto, o imigrante também podia ser empregado na derrubada do mato e na queimada, além da plantação. Um contrato de empreitada, de 1897, para plantio de 200 mil pés de café na Fazenda São Martinho, contém várias indicações sobre algumas das características da empreitada. A primeira delas é a de que os empreiteiros podiam contratar os serviços de terceiros, menos de "colonos

---

84. Warren Dean, ob. cit., p. 35. Motta Sobrinho transcreve documento sobre a empreita de antigos plantadores de fumo, arruinados em 1864, para a formação de cafezais empregando seus próprios escravos. Cf. Alves Motta Sobrinho, ob. cit., pp. 83-84.
85. C. F. Van Delden Laerne, ob. cit., p. 185.
86. Carlota Pereira de Queiroz, ob. cit., p. 85.
87. Darrell E. Levi, *A Família Prado*, trad. José Eduardo Mendonça, Cultura 70 — Livraria e Editora S/A, São Paulo, 1977, p. 167; cf., também, Myriam Ellis (org.), *O Café — Literatura e História*, Edições Melhoramentos — Editora da Universidade de São Paulo, São Paulo, 1977, p. 37.
88. Pierre Denis, ob. cit., p. 126.

e camaradas que tenham deixado o serviço da fazenda". Concluída a plantação do café, que não deveria levar mais do que 8 meses, e a construção das casinhas sobre cada planta (espécie de caieira armada sobre a cova para sombreamento), podiam "plantar uma carreira de milho em cada rua do café, e poderão renovar esta plantação mais uma vez". O milho, aliás, também servia para sombrear os cafeeiros em formação. Teriam que conservar a plantação de café durante 4 anos, mantendo-a limpa e replantando as falhas. As picadas para a derrubada da mata e as sementes de café seriam de responsabilidade do fazendeiro. De sua responsabilidade era também a construção de "uma pequena casa de morada para os empreiteiros e fornecer telhas, tábuas e batentes necessários para execução dos ranchos suficientes para acomodação de seu pessoal". Os empreiteiros receberiam Rs. 1$500 por pé de café de quatro anos, pagos em parcelas até o final do período [89].

Sem contar que qualquer café produzido durante o período, pois a planta frutifica já no quarto ano, pertencia aos proprietários da fazenda, segundo todas as indicações, já na safra seguinte ao recebimento do cafezal os fazendeiros puderam recuperar todas as despesas monetárias realizadas. Na pior das hipóteses, isso ocorreu na segunda safra de responsabilidade da fazenda [90]. Quase à mesma época, fazendas com cafezais formados eram vendidas à razão de Rs. 4$000 a 5$000 o pé de café [91]. Portanto, um proprietário podia duplicar o seu capital em quatro anos simplesmente formando novos cafezais, enquanto o mesmo dinheiro colocado a juros levaria uns 10 anos para duplicar.

Nessa fase, porém, os fazendeiros tinham pouco interesse em vender seus cafezais, a não ser por preços exorbitantes. Um observador notava, aliás, que com a crise de 1896, que produzira uma queda de preços, 1/3 dos fazendeiros de São Paulo estavam com débitos excessivos devido, entre outros fatores, aos preços descriteriosos pagos por suas propriedades [92].

O que parece ter sido a modalidade mais freqüente de formação do cafezal (que tanto podia ser uma nova fazenda, quanto a ampliação de uma antiga) já sob o regime de trabalho livre, consistia em atribuir ao imigrante a formação de um determinado número de pés de café, com direito à colheita dos frutos obtidos no período (geralmente havia uma pequena safra no quarto ano), situação que

---

89. Darrel E. Levi, ob. cit., pp. 332-336.
90. Os termos desse contrato não eram os usuais. Geralmente, as safras de café durante a vigência da empreitada pertenciam ao empreiteiro, além das safras de cereais.
91. Pierre Denis, ob. cit., p. 161.
92. Affonso d'E, Taunay, ob. cit., p. 265.

melhorava quando os contratos de formação eram de seis anos. Além do que, os trabalhadores tinham permissão de plantar feijão e milho nas ruas entre os pés de café (às vezes podiam plantar arroz e até algodão nesse espaço). Na entrega do cafezal ao fazendeiro, o colono recebia uma quantia em dinheiro que representava o dispêndio monetário com o estabelecimento da plantação.

A formação do cafezal despertava grande interesse nos colonos. Em primeiro lugar, porque podiam usufruir amplamente das terras mais férteis das regiões de matas recém-derrubadas, cultivando gêneros alimentícios necessários à sua subsistência, cujos excedentes eram comercializados seja com o próprio fazendeiro seja com os comerciantes das povoações e cidades próximas. A colheita do café no último ou nos últimos anos de formação da planta acrescentava recursos monetários ao pagamento final do trabalho. Um observador otimista assinalava, em 1914, que os rendimentos do café "dão margem para enriquecer todo e qualquer colono que se aplique à sua cultura, pois, na área ocupada pelo café, durante a época da formação, o colono pode plantar toda a sorte de cereais que darão para as suas despesas . . ." [93].

Quem realmente obtinha grandes resultados com esses critérios era, porém, o próprio fazendeiro. Um dos mais lúcidos estudiosos da economia do café observou que, na formação do cafezal, "durante os 4 ou 5 anos do contrato, os colonos vivem principalmente do produto do milho (além do feijão, o arroz e batata etc. em menor escala), cultivados conforme dissemos, entre os cafeeiros e que, graças à fertilidade do solo, oferece abundantes colheitas, vendidas diretamente ou utilizadas na criação e engorda de suínos e aves domésticas. Eis aí como, em prazo relativamente curto — 4 ou 5 anos — pode um proprietário de boas terras, no Oeste de S. Paulo, tornar-se possuidor de um belo e rendoso cafezal, mediante pequena paga, ou nenhuma" [94].

---

93. Joaquim Silverio da Fonseca Queiroz, *Informações Úteis sobre a Cafeicultura*, Estabelecimento Graphico "Universal", S. Paulo, 1914, p. 18.

94. Augusto Ramos, *O Café no Brasil e no Estrangeiro*, Papelaria Santa Helena, Rio de Janeiro, 1923, pp. 207-208. José César Gnaccarini observou processo similar na economia açucareira: ". . . essa quantia (sic) de trabalho não havia saído do bolso do capitalista, proprietário do engenho de açúcar nem de nenhuma outra fonte de trabalho que se caracterizasse como um valor, o qual, como tal, devesse ser realizado. Elas, as condições de trabalho, se haviam produzido em regime de auto-subsistência, o que queria também dizer que não necessariamente precisariam voltar ao bolso do produtor direto, se já não precisavam retornar ao bolso do capitalista. E é precisamente por esta razão que se diz manter a agricultura, ao utilizar matéria bruta produzida em regime de auto-subsistência, por maior quantidade de trabalho que esta requeira, uma baixíssima composição orgânica do capital, a qual habilita o capitalista a apropriar-se

73

Se no regime escravista os recursos investidos na compra de escravos representavam a parcela principal do capital da fazenda, no regime de trabalho livre a parcela principal passou a se constituir do cafezal. Esse capital tinha, pois, uma clara procedência não-capitalista. A propriedade capitalista da terra assegurava ao fazendeiro a sujeição do trabalho e, ao mesmo tempo, a exploração não capitalista do trabalhador. Com base no monopólio sobre a terra, o fazendeiro de fato não empregava o formador do cafezal. Na prática, ele lhe arrendava uma porção do terreno para receber em troca o cafezal formado. Uma espécie, pois, de renda-em-trabalho. Durante os quatros anos do contrato, o colono plantava no terreno os seus cereais, armava o seu rancho, e ali vivia com sua família. O pagamento que recebia pela formação de cada cafeeiro era inferior ao preço que esse mesmo cafeeiro obteria se a fazenda fosse negociada pelo fazendeiro. Não era o fazendeiro quem pagava ao trabalhador pela formação do cafezal. Era o trabalhador quem pagava com cafezal ao fazendeiro o direito de usar as mesmas terras na produção de alimentos durante a fase da formação. A principal forma de capital absorvida na formação da fazenda de café era o trabalho — trabalho que se convertia diretamente em capital constante, no cafezal. De fato, na gênese do capital do fazendeiro estava uma modalidade de renda. Mas, que não se confunde com a exploração pré-capitalista da terra, pois que se convertia imediatamente em capital constante. Esse é o segredo da acumulação do capital na economia do café. A fazenda produzia, a partir de relações não capitalistas de produção, grande parcela do seu próprio capital. Nesse sentido é que a grande lavoura se transformou numa indústria de produção de fazendas de café, além de produzir o próprio café. Desse modo, é que na economia cafeeira a reprodução do capital assumiu a forma de reprodução extensiva de capital, pela incorporação contínua e progressiva de novas terras à produção de café. Como disse antes, o segredo estava na conversão imediata de renda-em-trabalho em capital, na contínua recriação da necessidade de mais mão-de-obra, pois, a necessidade de trabalhadores para a formação do cafezal tinha um efeito multiplicador: cada formador de café implicava num número muito maior de tratadores e colhedores

---

de uma massa de mais-valia exagerada para o escasso dispêndio de capital total que ele é obrigado a fazer". Cf. José C. Gnaccarini, "A economia do açúcar. Processo de trabalho e processo de acumulação", *in* Boris Fausto (org.), *História Geral da Civilização Brasileira*, vol. III, tomo 1, cit., p. 328. Cf., também, José César Aprilanti Gnaccarini, *Estado, Ideologia e Ação Empresarial na Agroindústria Açucareira do Estado de São Paulo*, Tese de doutoramento apresentada ao Departamento de Ciências Sociais da Faculdade de Filosofia, Letras e Ciências Humanas da Universidade de São Paulo, São Paulo, 1972, pp. 146 e ss.

logo depois que o café estivesse formado. Tendo a formação da fazenda se transformado no objetivo econômico dos fazendeiros, a expansão dos cafezais quanto mais gente absorvia, mais gente necessitava.

Os próprios mecanismos do mercado incumbiam-se de reduzir ainda mais a importância relativa de qualquer dispêndio monetário efetuado com a formação do cafezal. Além do fato de que basicamente os financiamentos porventura obtidos junto a comissários e bancos eram operados como capital de custeio e, raramente, como formação de capital, o grande empenho na formação de novas fazendas trazia para o fazendeiro uma renda diferencial. O deslocamento amplo de fazendeiros de velhas regiões para a fronteira econômica esteve fortemente marcado pela busca de terras mais férteis, como a terra roxa encontrada em 1870, que triplicavam a produtividade do café e, às vezes, até a decuplicavam em relação aos terrenos cansados do Vale do Paraíba [95]. Nesse caso, a fertilidade natural do solo, por meio do trabalho do formador do cafezal, incrementava os ganhos do fazendeiro, quase sem investimento de capitais próprios. Através do repasse de suas antigas fazendas, os cafeicultores podiam formar quase de imediato grandes capitais. O único segredo dessa acumulação estava nas relações de produção estabelecidas na formação e no trato dos cafezais: com um regime de trabalho assalariado essa acumulação não teria sido possível na forma e na escala em que se deu.

---

95. Cf. J. R. de Araújo Filho, *loc. cit.*, pp. 85 e 103; Affonso d'E. Taunay, ob. cit., p. 239 e ss.; Rodrigo Soares Júnior, *Jorge Tibiriçá e sua Época*, Companhia Editora Nacional, São Paulo, 1958, vol. I, p. 188; vol. II, pp. 346-351; Jayme Adour da Camara, *Salvador Piza (O homem e o lavrador)*, S. Paulo, 1940, pp. 39-49 e 51.

III

DESIGUALDADE E PROPRIEDADE: OS MARCOS DO PROCESSO DE VALORIZAÇÃO NO REGIME DE COLONATO

O capital que permitia movimentar os elementos do processo de produção no interior da fazenda era basicamente capital de custeio, procedente das casas comissárias. Na própria formação do cafezal o componente principal do capital constante do fazendeiro, em geral, operava esse tipo de capital ânuo, de natureza essencialmente comercial. Ele se envolvia no processo produtivo apenas para incorporar os produtos agrícolas, no caso o café, ao processo de circulação das mercadorias. Operava, pois, como mediador na conversão do café em mercadoria. Somente através da transferência do ônus de formação do cafezal para o próprio trabalhador, responsável pela produção direta dos seus meios de vida, é que o fazendeiro podia arrecadar, com os limitados recursos do capital de custeio, o seu capital constante, extorquido diretamente do formador de café.

A forma essencial de capital que subordinava a produção agrícola era, portanto, a do capital comercial, na estrita racionalidade do capital que opera fundamentalmente na movimentação da safra agrícola. A partir daí, o fazendeiro entrava no circuito do capital como proprietário de mercadorias, como manipulador de capital-mercadoria. É nessa condição que ele se relacionava com o principal intermediário na comercialização de café, o chamado comissário. Este era, na verdade, ao menos no início, uma espécie de agente comercial que atuava em nome do fazendeiro junto aos exportadores, mediante uma remuneração geralmente de 3% sobre o valor do negócio. Teoricamente, ao menos, o comissário agia em defesa dos interesses do fazendeiro, classificando o café, formando ligas, e jogando sempre na alta dos preços [96]. Uma sutil transformação

---

96. Affonso d'E. Taunay, ob. cit., p. 173; Alves Motta Sobrinho, ob. cit., p. 85.

ocorreu na relação entre comissários e fazendeiros que veio a alterar esse papel de aliado. Em tempos recuados, ainda em relação aos fazendeiros do Vale do Paraíba, quando menor parece ter sido a dependência financeira destes em relação aos seus agentes, comissários havia que se prontificavam a cuidar dos interesses de seus comitentes sem cobrança de comissão alguma, contentando-se unicamente com os ganhos que proviessem dos fretes [97]. Nessa altura, o fazendeiro estava geralmente em crédito junto ao comissário. Mas, nos anos 80, a situação-s parece ter-se invertido, provavelmente devido ao preço do trabalho, já que capitais maiores tiveram que ser imobilizados sob a forma de renda capitalizada. Em última instância ganhavam os banqueiros, financiadores dos comissários. Couty constatava, em 1883, a "intervenção da dívida em todas as relações (. . .), dívidas dos fazendeiros em relação aos comissários, dos comissários em relação aos bancos, dos bancos em relação a todos, dos consumidores em relação aos importadores e dos importadores na Europa" [98]. Os fazendeiros deploravam a dependência em que se encontravam em relação ao comissário, não mais tido como o representante pessoal que cuidava de todos os negócios externos da fazenda e até mesmo dos negócios de família do fazendeiro, mas definido como explorador [99]. Empenhavam-se, aliás, os fazendeiros em obter a criação de bancos de custeio agrícola. De qualquer modo, além da proliferação de bancos envolvidos nos negócios do café a partir dos anos 90, os comissários começaram a ser alijados dos negócios pela intervenção dos exportadores na compra direta de café nas fazendas. O fazendeiro caía, assim, sob controle direto do capital financeiro dos bancos, dado que os exportadores eram simples compradores que atuavam na baixa do café para o fazendeiro, eliminando o intermediário que era o comissário. Na falta deste, os bancos vieram a suprir as suas funções bancárias.

Tais fatos não representaram um maior envolvimento do capital no processo produtivo. Ao contrário, a fazenda, já no começo deste século, ficava quase que inteiramente sujeita aos bancos e exportadores, estes, na maioria, estrangeiros, interessados em retirar das mãos dos comissários e ampliar o ganho advindo da exploração de

---

97. Alves Motta Sobrinho, ob. cit., pp. 135-136.
98. Louis Couty, *Étude de Biologie Industrielle sur le Café*, cit., p. 135 e ss.
99. ". . . só trabalho para os outros. O lavrador não ganha, o negociante em café enriquece! / O primeiro tem muito trabalho e luta com mil dificuldades! O segundo aproveita-se do nosso suor para se divertir e fazer fortuna!" Carta do Barão Geraldo de Rezende, 30 de maio de 1882, *apud* Amelia de Rezende Martins, ob. cit., p. 298; "Todos os comissários são ladrões". Carta do comissário Pedro Lima ao major Moreira Lima Júnior, 22 de maio de 1873, *apud* Alves Motta Sobrinho, ob. cit., p. 88.

relações não capitalistas de produção. A maior dependência em relação a essas formas de capital apenas acentuava a característica da fazenda como empreendimento voltado para a produção de mercadoria com base nas condições de exploração da força de trabalho que já foram indicadas.

Essas alterações não modificaram, pois, o fato de que o fazendeiro era um capitalista que operava essencialmente a partir do capital-mercadoria no qual se exprimia o trabalho pretérito[100] obtido através de relações não-capitalistas de produção. A fazenda se organizava internamente, nas suas relações internas, pela intervenção do capital de custeio, do capital para movimentação de safras. Por isso, a relação entre o fazendeiro e o colono envolvido no trato e colheita de café era uma relação semelhante à que mantinha com o comissário — uma relação de crédito e débito, uma relação de contas correntes, como se o próprio trabalhador fosse outro comerciante.

Enquanto no regime de trabalho assalariado, nas relações de produção capitalistas, a relação entre o burguês e o proletário é uma relação de igualdade que esconde a desigualdade, em que a ocultação da exploração se dá no próprio processo de trabalho, no regime de colonato a igualdade formal não se dá no processo de trabalho, mas fora dele. Dizendo de outro modo, no primeiro a igualdade é o ponto de partida do relacionamento entre o patrão e o operário. Este entende que o que vende àquele, expressado em salário, é equivalente aos meios de vida necessários à sua reprodução e de sua família. Entretanto, aquele compra o uso do trabalho, cuja utilidade está em produzir mais valor do que aquele que contém. Ao fim do processo de trabalho, o que se tem é que ele é ao mesmo tempo processo de valorização, em que o capital entra como valor que se valoriza a si mesmo. A mais-valia assim extraída, o lucro, aparece aí como fruto do capital e não como fruto do trabalho[101].

No regime de colonato, as coisas não ocorriam dessa forma, embora, é claro, houvesse um lucro do fazendeiro. É que a mais-valia aparecia sob a forma de lucro comercial, já que, para fazer uma distinção que se fazia na época, havia uma grande distância entre o valor e o preço da fazenda. Couty, o perspicaz agrônomo, iludia-se quando afirmava que o preço que as fazendas podiam alcançar em seu tempo era inferior ao valor que tinham, isto é, ao trabalho materializado e às mercadorias que produziam. Para ele, a diferença expressava a problemática falta de demanda de terras e de um mercado imobiliário. Ledo engano, pois tal diferença expressava, em verdade, a ausência do mercado como mediador na formação do capital da fazenda, como vimos, extorquido diretamente do trabalhador

---

100. Carlos Marx, ob. cit., tomo I. *passim*, esp. pp. 491 e 513.
101. *Ibidem,* tomo I, p. 130 e ss.

sob uma forma de renda-em-trabalho. A diferença procedia fundamentalmente da desimportância dos dispêndios monetários na formação do capital da fazenda. A mais-valia expressava todo o trabalho pretérito não-pago desde a formação do cafezal, mas surgia somente na transação do fazendeiro com o intermediário. Para o fazendeiro, a mais-valia se materializava na coluna do "haver" das suas contas correntes com o agente comercial.

Assim como fechava anualmente a sua conta com este último, também anualmente a fechava com seu colono. Após o final da safra, o fazendeiro fazia o acerto com o chefe da família trabalhadora. A formalização da igualdade ocorria nesse plano, no plano da contabilidade que mediava a relação de ambos, no plano dos ganhos monetários. Aí o colono aparecia como fornecedor de mercadorias e, eventualmente, como trabalhador diarista, parcela mínima dos seus rendimentos. Aparecia também como comprador de mercadorias ao fazendeiro ou como devedor de adiantamentos. O item principal da sua receita provinha dos alqueires de café colhido, dos talhões tratados. Acentuava essa característica o fato de que ao colono cabia uma caderneta que deveria reproduzir fielmente os registros da sua conta corrente com o fazendeiro. Nessa relação, o trabalho não entra fundamentalmente na qualidade de trabalho social e abstrato; ele entra revestido ainda da forma de mercadoria, de trabalho materializado em valores de uso e de troca, com o caráter de trabalho pessoal. A troca igual não entra no começo da produção, mas unicamente no seu final. Por essa razão, não se pode reduzir ao menos parte da remuneração do colono à categoria de salário-por-peça. É que no colonato, como já foi indicado, o colono se envolvia em uma complexa relação com o fazendeiro.

A igualdade formal entre o colono e o fazendeiro estipulada com base nos elementos da conta corrente, mediante a troca de dinheiro pelo produto do trabalho (o café), era a simples igualdade entre compradores e vendedores no próprio ato de compra e venda. Mas, essa igualdade episódica, de acerto de contas, acobertava uma efetiva relação desigual no processo de trabalho.

No interior da fazenda, apenas uma parcela da população trabalhadora, aquela que se dedicava ao benefício do café, da secagem ao ensacamento, tinha as suas relações com o fazendeiro estabelecidas com base no pagamento de salários [102]. Aliás, mesmo na vigência do

---

102. "Condições do trabalho na lavoura cafeeira do Estado de S. Paulo", *in Boletim do Departamento Estadual do Trabalho*, Anno I, ns. 1 e 2; Secretaria da Agricultura, Comércio e Obras Públicas do Estado de São Paulo, São Paulo, 1912, p. 20 e ss.; Maria Sílvia C. Beozzo Bassanezi, "Absorção e mobilidade da força de trabalho numa propriedade rural paulista (1895-1930)", *in O Café — Anais do II Congresso de História de São Paulo*, cit., pp. 241-242 e 249.

trabalho escravo, várias das tarefas de beneficiamento, sobretudo após a introdução de equipamentos modernos nos anos 70, eram realizadas por operários especializados livres, reafirmando uma tendência que vinha desde antes [103]. Desse modo, tanto a formação do cafezal quanto o benefício do café já eram efetuados por homens livres antes da formalização do fim da escravatura. A grande alteração nas relações de produção ocorreu, pois, principalmente no trato e na colheita do café, onde não se instituiu o salariato com o advento do trabalho livre. Entretanto, os colonos constituíam a grande massa de trabalhadores das fazendas de café. Algumas delas chegaram a possuir 5, 6, 8 mil colonos instalados dentro de uma mesma propriedade, em vários e distintos agrupamentos. Num estudo realizado sobre uma dessas grandes fazendas, supõe-se que uns 75% dos trabalhadores estavam sob o regime de colonato [104]. Em outro estudo sobre a mesma fazenda, um pesquisador verificou que 41,4% dos dispêndios monetários de 1896 a 1899 haviam sido feitos com colonos e o restante com diversas modalidades de assalariados [105]. O menor dispêndio com a maior parte dos trabalhadores sob regime de colonato não resultava de salários mais baixos pagos aos trabalhadores da lavoura. Resultava de que as relações de produção do colono eram distintas daquelas que vinculavam os demais trabalhadores ao fazendeiro.

Era, pois, diretamente no processo produtivo que se travavam relações de trabalho distintas do salariato, que não podiam ser definidas como relações de produção capitalistas. No processo de trabalho, o vínculo entre o patrão e o colono era um vínculo que não escondia a desigualdade econômica do relacionamento entre ambos. A questão, pois, está em saber como era possível a convivência dessa desigualdade com a sua aceitação pelo colono. Em outras palavras, de que modo o trabalhador legitimava a exploração

---

103. Sobretudo após a introdução de máquinas modernas de beneficiamento, a partir de 1870, há indicações de que algumas tarefas essenciais eram cometidas a trabalhadores livres. De qualquer modo, foi nas operações de beneficiamento que o regime de trabalho assalariado se implantou plenamente. A ponto de Couty sugerir que, tal como já ocorrera com a cana-de-açúcar, com a instalação dos engenhos centrais, o fazendeiro circunscrevesse a sua atividade econômica às operações industriais de benefício do café, como capitalista e comerciante. Nesse caso, a terra deveria ser dividida e entregue a pequenos produtores tributários do engenho. Cf. Louis Couty, *L'Esclavage au Brésil*, Librairie de Guillaumin et Cie., Éditeurs, Paris, 1881, p. 37; cf. também, *Étude de Biologie Industrielle sur le Café*, cit., p. 47 e 147; Rodrigo Soares Júnior, ob. cit., 1º volume, pp. 79-80.

104. Maria Sílvia C. Beozzo Bassanezi, *loc. cit.*, pp. 248-249 (nota 11).

105. Warren Dean, *Rio Claro — A Brazilian Plantation System, 1820-1920*, cit., p. 171.

revelada em que se inseria no processo de trabalho, que forma assumia o processo de valorização?

O colono não era um trabalhador individual, mas um trabalhador que combinava as forças de todos os membros da família: o marido, a mulher, os filhos com mais de sete anos [106]. Enquanto na escravatura o trato do cafezal era no eito, era efetuado por turmas de escravos, já era uma tarefa socializada, no regime de colonato passou a ser organizado em base familiar. Esse trabalho não se dissolvia no esforço comum da coletividade dos trabalhadores, às vezes milhares dentro de uma mesma fazenda. A família preservava a "individualidade" do seu trabalho [107]. Recebia uma parcela do cafezal com a incumbência de mantê-la livre de ervas-daninhas, o que representava 5 a 6 carpas anuais [108]. Também se incumbia da colheita do café e aí mais intensivo se tornava o trabalho familiar [109]. É que o trato era combinado à base de uma quantia determinada de dinheiro por mil pés de café tratados. Cada família recebia um número determinado de pés de café para tratar, à base de 2.000 pés por trabalhador masculino adulto. Mulheres e menores acima de 12 anos podiam incumbir-se de 1.000 pés de café. Já na colheita o pagamento era feito com base numa quantia determinada por alqueire de 50 litros de café colhido e entregue no carreador. Quanto maior o número de trabalhadores, maior seria a quantidade de café colhido pela família. Havia até uma divisão familiar do trabalho para realizar a colheita: o homem, sobre uma escada de tripé, colhia nas partes altas do cafeeiro, a mulher nas partes médias e as crianças nas partes mais baixas, na saia da planta. Em ambos os casos, no trato e na colheita, o rendimento monetário anual do colono dependia do grau de intensificação do trabalho que podia impor à família [110].

---

106. Louis Couty, *Étude de Biologie Industrielle sur le Café*, cit., p. 155; Max Leclerc, ob. cit., p. 101; Maria Paes de Barros, ob. cit., pp. 98-99; Augusto Ramos, ob. cit., p. 206.
107. Louis Couty, ob. cit., pp. 130 e ss.
108. Pierre Denis, ob. cit., p. 136 e ss.
109. A área de colheita que cabia ao colono e sua família não era necessariamente aquela que estivera sob seus cuidados, mas outra, escolhida por sorteio. Como a produtividade era diferente entre os diferentes talhões, o sorteio afastava a suspeita de favoritismo a uns em detrimento de outros. Sobre o sorteio, cf. Myriam Ellis (org.), ob. cit., p. 121 e ss.
110. Elias Antonio Pacheco e Chaves *et alii*, *Relatório Apresentado ao Exmo. Sr. Presidente da Província de S. Paulo pela Commisão Central de Estatística*, Typographia King-Leroy King Bookwalter, São Paulo, 1888, p. 247; Louis Couty, ob. cit., p. 129 e ss.; A. Lalière, *Le Café dans l'État de Saint Paul (Brésil)*, Augustin Challamel, — Éditeur, Paris, 1909, p. 266 e ss.; B. Belli, *Il Caffè — Il Suo Paese e la Sua Importanza (S. Paulo del Brasile)*, Ulrico Hoepli, Editore-Libraio della Real Casa, Milano, 1910,

O colono combinava a produção do café com a produção de uma parte substancial dos seus meios de vida. Especialmente nos cafezais novos era-lhe permitido plantar milho e feijão e, em menor escala, arroz, batatas, legumes etc. Essa produção lhe pertencia inteiramente, em grande parte consumida pela família e em parte vendida aos comerciantes ou, até mesmo, ao fazendeiro [111]. Quando o cafezal era velho, em geral não se recomendava a cultura intercalar. Nesse caso, o fazendeiro colocava à disposição de cada família de colono um pedaço de terra em outro lugar, geralmente terrenos baixos impróprios para o café, a fim de que se dedicasse ali ao cultivo dos gêneros de subsistência. Outras vezes, o fazendeiro cedia esse lote fora do cafezal e, ao mesmo tempo, autorizava o plantio de algum gênero no cafezal em condições determinadas [112]. Às vezes, a área fora do cafezal correspondia, em extensão, a uma outra fazenda, somadas as culturas de todos os colonos.

Não era indiferente que a cultura de subsistência fosse realizada dentro ou fora do cafezal. Sendo plantada entre as linhas de café, poupava trabalho ao colono. Ao mesmo tempo em que o colono procedia à limpa do cafezal, podia cultivar o milho ou o feijão, ou outra planta que tolerasse a consorciação. O processo de trabalho do café era, nesses casos, um processo combinado de cultivo, a um só tempo, de plantas diferentes. Na mesma jornada o colono intensificava o resultado do seu trabalho.

Quando isso não era possível, então, de fato, ocorria uma extensão da jornada de trabalho ou o aparecimento de uma segunda jornada de trabalho do colono na sua própria cultura de subsistência. "Se é preciso plantar o milho num campo separado, é dobrar a pena sem dobrar o resultado", dizia Denis [113]. Daí decorria um interesse maior dos colonos pelos cafezais das zonas novas, havendo

---

p. 112; Pierre Denis, ob. cit., p. 136 e ss.; Vincenzo Grossi, *Storia della Colonizzazione Europea al Brasile e della Emigrazione Italiana nello Stato di S. Paulo*, Societá Editrice Dante Alighieri di Albrighi, Segati & C., Milano-Roma-Napoli, 1914, p. 439 e ss.; Reginald Lloyd *et alii*, *Impressões do Brasil no Século Vinte. Sua História, seo povo, commercio, industrias e recursos*, Lloyd's Greater Britain Publishing Company Ltd., Londres, 1913, p. 632; Augusto Ramos, ob. cit., p. 205.

111. Elias Antonio Pacheco e Chaves *et alii*, ob. cit., p. 247; Manuel Bernardez, *Le Brésil — sa vie, son travail, son avenir*, Buenos Aires, 1908, pp. 223-224; Louis Couty, *Ebauches Sociologiques: Le Brésil en 1884*, cit., p. 185; B. Belli, ob. cit., p. 112; Vincenzo Grossi, ob. cit., p. 445; Augusto Ramos, ob. cit., p. 205; Guido Maistrello, "Fazendas de café — costumes (S. Paulo)", *in* Augusto Ramos, ob. cit., p. 564.

112. Louis Couty, *Étude de Biologie Industrielle sur le Café*, cit., p. 130.

113. Pierre Denis, ob. cit., p. 151; Guido Maistrello, *loc. cit.*, p. 556; B. Belli, artigo no *Correio Paulistano*, 2 de julho de 1911, *apud* Paula Beiguelman, ob. cit., p. 110, nota 92.

83

quem os recriminasse severamente porque os considerava responsáveis únicos pela expansão dos cafezais, sem expansão proporcional do consumo e dos mercados, levando à superprodução, cujos primeiros sinais surgiram em 1896 e que levaram à tácita proibição do plantio de novos cafezais em 1903, impedimento que, aliás, durou vários anos [114].

De fato, a alimentação do colono provinha em grande parte dessas culturas acessórias. É que trabalhando fora do cafezal para prover a sua subsistência, duplicando a jornada de trabalho, não só havia uma intensificação do processo de exploração do trabalhador: é que aí a própria exploração ficava nítida. O tempo de trabalho necessário à reprodução da força de trabalho e o tempo de trabalho excedente, apropriado pelo fazendeiro, não se efetivavam num único processo de trabalho. Nesse caso, ao trabalhar no cafezal, o produtor tinha consciência de que estava trabalhando para o outro, pois se defrontava objetivamente com o instrumento da sua sujeição. Mesmo nas zonas novas, em que o processo de trabalho era único, o tempo de trabalho necessário se materializava em objetos distintos daquele em que assumia forma o tempo de trabalho excedente, que era o café. É claro que o colono podia vender os excedentes dos gêneros que produzisse e de fato o fazia. Mas esses gêneros não tinham custo [115] e eram vendidos por qualquer preço, para complementar o rendimento monetário necessário à aquisição de uma ou outra mercadoria não produzida diretamente. Não era raro que os excedentes fossem consignados a um comerciante próximo, para que o colono retirasse outras mercadorias, na medida do necessário, ou então que entregasse os produtos já em pagamento de aquisições a crédito. Por outro lado, é claro também que o colono recebia pagamentos em dinheiro pelo café entregue ao fazendeiro. Mas, esses pagamentos estavam muito aquém dos salários urbanos. O que um operário ganhava em um mês era geralmente o que o colono recebia em um ano para cuidar de mil pés de café. É certo, porém, que havia outros rendimentos monetários para o colono, pois em geral podia cuidar de 2.000 pés de café, além dos ganhos proporcionais à colheita.

Em 1911, a produção direta dos gêneros de subsistência era avaliada, em termos monetários, em 37% do ativo de uma família composta do casal e quatro filhos em condições de trabalhar. Mas,

---

114. Rodrigo Soares Júnior, *Jorge Tibiriçá e sua época,* cit., 2º volume, pp. 360, 410 e 429; Paula Beiguelman, ob. cit., p. 115.
115. *Relatorio Annual do Instituto Agronomico do Estado de S. Paulo (Brazil) em Campinas — 1894 e 1895,* volume VII e VIII, cit., p. 195: "Onde o milho é cultivado nos cafezais como 'cultura intermediária' é quase impossível calcular-se exatamente o custo de produção...".

no passivo da família, no efetivo dispêndio de recursos com os meios de vida, essa parcela correspondia a 46,4% das despesas. Numa família menor, a parcela alcançava 32,8% [116]. A diferença era coberta com ganhos diretamente monetários.

Eram variadas as fontes de rendimento de uma família de colonos, mas o principal procedia da colheita de café, que se estendia geralmente por um período de 6 meses, de fins de maio até novembro, e do trato do cafezal. Na caderneta de um colono, para 1906, observa-se que 54,9% dos seus ganhos corresponderam à colheita, 37,6% ao trato, 3,8% a 32 dias de trabalho avulso em jornadas de 10 horas, 1,7% de 14 dias e meio da carpa de talhões de outros colonos, 1,4% de 12 dias de trabalho na limpeza de terrenos e 0,6% da venda de feijão ao fazendeiro [117].

Como se vê, o colono podia ainda trabalhar como diarista na fazenda, a que estava, aliás, obrigado por contrato desde que fosse solicitado, especialmente para trabalhos no terreiro, na secagem do café.

Além disso, estava geralmente sujeito a determinadas modalidades de trabalho gratuito. Um autor registrou na época três dessas modalidades: conserto da estrada da fazenda à estação ferroviária; limpeza do pasto da fazenda e reparos periódicos na cerca do pasto. Estimava-se que para cada uma dessas tarefas seriam destinados dois dias de trabalho, totalizando seis dias por ano [118].

Esse elenco de vínculos monetários, não monetários e gratuitos e o caráter familiar do trabalho do colono não permitem que se defina as relações de produção do regime de colonato como relações capitalistas. A presença do dinheiro nessas relações obscureceu para os pesquisadores o seu caráter real. Ao produzir uma parte significativa dos seus meios de vida, em regime de trabalho familiar, o colono subtraía o seu trabalho às leis de mercado e de certo modo impossibilitava que esses meios de vida fossem definidos de conformidade com os requisitos de multiplicação do capital. É certo que o índice de exploração da força de trabalho na economia cafeeira, sob o regime do trabalho livre, foi sempre estabelecido mediante o controle do tempo do trabalhador, na sua distribuição entre a *cultura do fazendeiro* e a *cultura do colono*. Uma intensificação do trabalho na lavoura da fazenda, mediante o aumento do número de pés de café que o colono deveria cuidar, foi recurso usado e muito, como já ocorrera aliás sob a escravatura, para incrementar o produto do

---

116. Antonio Piccarolo, *L' Emigrazione Italiana nello Stato di S. Paulo*, Livraria Magalhães, S. Paulo, 1911, pp. 60-62.
117. A. Lalière, ob. cit., pp. 270-273.
118. Vincenzo Grossi, ob. cit., p. 444.

fazendeiro com menor número de trabalhadores. Com isso, subtraía-se ao colono tempo para que se dedicasse à lavoura de subsistência.

Quando não se retém a especificidade das relações de produção no regime de colonato, fica impossível entender os mecanismos ideológicos que definiam a singularidade do processo de valorização nessas condições. É que a modalidade de extração da mais-valia tinha que assumir uma forma congruente com a modalidade de exploração da força de trabalho na fazenda de café. A produção direta dos meios de vida pelo trabalhador, indicava apenas que o capital não se assenhoreara diretamente do processo de produção, mas fazia-o indiretamente convertendo o seu produto em mercadoria. A determinação capitalista dessas relações não capitalistas de produção se dava essencialmente no fato de que o trabalhador produzia diretamente os seus meios de vida para produzir um excedente, o café, que por estar já subjugado pelo capital comercial, surgia das mãos do colono como propriedade alheia, como mercadoria do fazendeiro. Enquanto que, regularmente, supõe-se que a atividade inicial do trabalhador corresponde a tempo de trabalho necessário à sua reprodução como trabalhador e o restante a tempo de trabalho excedente, a ser apropriado pelo capitalista, na fazenda ocorria o inverso. O fazendeiro extraía primeiramente o tempo de trabalho excedente, definindo a prioridade do cafezal como objeto de trabalho do colono. Somente depois da extração do trabalho excedente é que cabia ao colono dedicar-se ao trabalho necessário à sua reprodução como trabalhador, sob a aparência de que trabalhava para si mesmo. Ainda assim estava trabalhando para o fazendeiro, garantindo as condições da sua própria reprodução como produtor de trabalho excedente.

Na verdade, tal ordenamento intensificava a exploração do trabalho ao mesmo tempo que a obscurecia. A produção de gêneros para si mesmo introduzia a fartura na casa do colono, que ele imediatamente contrapunha à fome e à miséria que sofrera no país de origem, submetido a duras regras de parceria [119]. Quanto mais o colono trabalhava para si mesmo — duplicando a jornada de trabalho, subtraindo os filhos à escola, antecipando a exploração do trabalho infantil, intensificando o trabalho da mulher pela sua absorção no cafezal — mais ele trabalhava para o fazendeiro. É que os rendimentos monetários apareciam para o colono revestidos de uma

---

119. Antonio Piccarolo, *Um Pioneiro das Relações Ítalo-Brasileiras (B. Belli)*, Athena Editora, São Paulo, 1946, pp. 17 e ss.; Michael M. Hall, *The Italians in São Paulo, 1880-1920*, mimeo., 1971, p. 5; Michael M. Hall, "Approaches to Immigration History", *in* Richard Graham e Peter H. Smith (org.), *New Approaches to Latin American History*, University of Texas Press, Austin and London, 1974, p. 180 e ss.

qualidade que derivava da própria separação subjetiva e objetiva entre lavoura do colono e lavoura do fazendeiro; apareciam como o supérfluo, o secundário, o que vem depois da reprodução da vida [120]. Nesse caso, as pressões por uma remuneração monetária maior do trabalho, em face de uma elevação geral dos preços, parece que existiram apenas escassamente. Enquanto entre 1895 e 1905, entre as vésperas da primeira crise de superprodução e as vésperas do programa de valorização, houve acentuada queda de preços do café, os pagamentos monetários dos colonos quase não tiveram variação. Denis registra que o pagamento "pelo trato de mil pés de café era, em 1895, de 90 mil réis e de 600 réis pela colheita de cincoenta litros de frutos. Numa pesquisa agrícola feita em 1907 (. . .) o relator dá como cifras médias de 60 a 100 mil réis por mil pés de café e de 500 a 600 réis por cincoenta litros colhidos" [121]. Quinze anos depois, os preços tinham sofrido reduzida alteração [122]. Na medida em que a existência do colono não era inteiramente determinada pelas condições do mercado, pelo preço dos meios de vida, a sua remuneração monetária podia manter-se baixa, quase sem oscilações, mesmo num período de crise que começava a afetar significativamente as condições de existência do operariado urbano. Entre o rendimento monetário e a cultura intercalar, preferia o colono, aliás, as vantagens desta última. Denis registrou um diálogo tido com um grupo de colonos que decidira retirar-se de uma fazenda para trabalhar em outra e que é elucidativo: "É verdade que vocês vão trabalhar na fazenda de . . . no ano que vem? — Sim. — Por que motivo vocês vão mudar de fazenda? Vão ganhar mais na outra? Vocês não recebem aqui 80 mil réis por mil pés? — Sim. — Quanto lhes oferecem lá? — Somente 60 mil réis. — Então, por que vão sair? — É que lá pode-se plantar milho entre os cafeeiros" [123].

Portanto, o número reduzido de greves de colonos, que seriam indicativas das características do processo de valorização do capital na fazenda de café, não deve ser imputado à dispersão dos colonos "por fazendas isoladas, impossibilitando contatos que reforçassem a tomada de consciência de uma condição comum e o esboço de uma ação reivindicatória" [124]. Na verdade, dentre as várias dificuldades para que os trabalhadores rurais se exprimissem como os operários urbanos estavam as próprias relações de produção completamente

---

120. Louis Couty, ob. cit., p. 158; Elias Antonio Pacheco e Chaves *et alii*, ob. cit., p. 247; Pierre Denis, ob. cit., p. 140 e ss.

121. Pierre Denis, ob. cit., p. 149.

122. Paul Walle, *Au Pays de l'Or Rouge — l'État de São Paulo (Brésil)*, Augustin Challamel — Éditeur, Paris, 1921, p. 82.

123. Pierre Denis, ob. cit., p. 140.

124. Boris Fausto, *Trabalho Urbano e Conflito Social*, cit., p. 21.

distintas. É preciso ter em conta que se os colonos estavam dispersos por várias fazendas, constituíam, entretanto, grandes aglomerados dentro da mesma fazenda. Enquanto a maior fábrica da capital, em 1918, não tinha mais do que 3 mil operários, fazendas havia no começo do século que tinham 8 mil trabalhadores. Não só viviam a situação comum, mas também conviviam, sem que daí resultassem movimentos significativos. Outra dificuldade é que o trabalho era familiar, sem que os trabalhadores se individualizassem no processo de trabalho, donos de si próprios e da sua consciência. O chefe da família era o depositário da consciência familiar, ao mesmo tempo em que se constituía em agente da exploração que a fazenda exercia sobre ele e os seus. Não que o colono considerasse a porção da fazenda sob seu cuidado como propriedade sua. Não se conhece nenhuma manifestação nesse sentido. Ao invés, o colono tinha presente o que era trabalho para si e o que era trabalho para a fazendeiro. Para ele o pagamento em dinheiro não tinha função de salário, não tinha o atributo de uma contrapartida igual por determinado tempo de trabalho. Mas, legitimava a relação desigual porque para ele o trabalho para si mesmo, o trabalho necessário, aparecia como trabalho sobrante e o trabalho sobrante, o trabalho para o fazendeiro, é que se revestia da aparência de trabalho necessário. O essencial aparecia como secundário e vice-versa.

Se a cultura de subsistência era cultura intercalar, como preferia a maioria dos colonos, em que a distinção entre trabalho necessário e trabalho excedente só se objetivava porque coexistiam no mesmo espaço plantas subjetivamente definidas como planta do colono e planta do fazendeiro, a justificativa legitimadora era acentuada ainda mais pelo fato de que aparentemente o colono só trabalhava para si (da mesma forma que na mente do fazendeiro se dava o inverso).

No produto entregue ao fazendeiro, na colheita, se materializava o trabalho sobrante que o colono entendia ser trabalho necessário. Independentemente da sua vontade, trabalhar para o fazendeiro era um ato que se materializava no número de pés de café a seu cuidado e, principalmente, na quantidade de alqueires de café que entregava no carreador durante os meses da colheita. Nesse ato, o colono entregava o seu trabalho objetivamente ao dono do cafezal sob a forma de café, café que não era produto de um trabalho coletivo de todos os trabalhadores, mas era produto do trabalho individualizado da sua família. Não estando a existência do colono fundamentada no salário, não estando socializado o trabalho e o fruto do trabalho, o resultado da atividade familiar não podia deixar de se apresentar como entrega direta de valores de uso ao fazendeiro. O trabalho sobrante, a mais-valia absoluta, era, a rigor, na fazenda de café, como que entregue em mãos do fazendeiro, materialmente.

Embora a exploração, no regime de colonato, se configurasse na produção de subsistência, na sobre-jornada, ela não podia ser apreendida aí, protegida e acobertada pela aparência de que o trabalhador trabalhava para si mesmo, quando estava trabalhando para o fazendeiro, para se reproduzir como força de trabalho do fazendeiro. Sendo a lavoura do fazendeiro distinta da lavoura do colono, tendo este empregado naquela o seu trabalho, era nos resultados dela que a exploração podia manifestar-se. Assim sendo, somente na colheita do café, no final do ano agrícola, quando o colono já sabia em que medida a produção de subsistência fora ou seria suficiente para cobrir suas necessidades de meios de vida, é que tinha condições de avaliar o nível da exploração a que estava sendo submetido. Ao entregar o produto do seu trabalho, o café, ao fazendeiro é que podia, então, julgar em que medida era justo o preço prefixado por arroba de café colhido.

Por essa razão, muitos dos casos conhecidos de greves nas fazendas de café, na fase aqui estudada, são relativos à época da colheita e aos preços a serem pagos ao colono por quantidade de café colhido [125]. Para o fazendeiro, a colheita era o momento mais importante da vida da fazenda. Deslocava-se desde grandes distâncias para acompanhar os trabalhos [26]. A colheita era o momento em que se efetivava a conversão do trabalho em mercadoria. Era a última etapa do trabalho para o colono, aquela em que o seu trabalho se materializava no objeto para ser entregue ao fazendeiro sob forma de café. Era o momento em que o fazendeiro convertia a mercadoria em dinheiro para pagar o seu trabalhador. Ele não pagava diretamente o trabalho, mas o fruto do trabalho. Por isso a greve do colono, quando não versava sobre as condições de vida na fazenda, incidia geralmente sobre a época da colheita. Era a recusa em oferecer ao fazendeiro o trabalho sob a forma que lhe interessava: sob a forma de outra mercadoria. A greve transformava-se numa recusa

---

125. Mario Ramos, *A Illusão Paulista,* Rio de Janeiro, 1911, esp. pp. 37, 40 e 49-50; Edgar Rodrigues, *Socialismo e Sindicalismo no Brasil,* Laemmert, Rio de Janeiro, 1960, p. 300; Everardo Dias, *História das Lutas Sociais no Brasil,* Editora Edaglit, São Paulo, 1962, pp. 260 e 271; Hermínio Linhares, "As greves operárias no Brasil durante o primeiro quartel do século XX", *in Estudos Sociais,* nº 2, junho-agosto de 1958, pp. 222-223; Augusto Ramos, ob. cit., p. 209; Warren Dean, ob. cit., p. 179; Azis Simão, *Sindicato e Estado,* Dominus Editora, São Paulo, 1966, pp. 101-102.
126. Cf. Maria Paes de Barros, ob. cit., p. 73 e ss.; Amelia de Rezende Martins, ob. cit., p. 511.

do trabalho através da recusa da mercadoria, pois somente colhido tinha o café condições de ser mercadoria.

É importante, por outro lado, ter em conta que, no processo de trabalho, o café aparecia como produto da propriedade, isto é, produto de uma forma específica de existência do capital, que é a forma de renda capitalizada. No processo capitalista de produção, a mais-valia aparece como produto do capital, como valor que se valoriza a si mesmo, porque o salário aparentemente remunera todo o trabalho do trabalhador. No regime de colonato, a ausência do salário como forma dominante da relação entre o fazendeiro e o colono, impedia que ambos vivessem integralmente a ficção da igualdade engendrada pela troca aparentemente igual de dinheiro por tempo de trabalho. Nesse processo, o trabalhador não aparece como explorado, embora o seja. No colonato, o café surgia como produto da propriedade, na medida em que a renda territorial capitalizada era a condição da sujeição do trabalho. Por esse motivo, a relação entre o colono e o fazendeiro tinha muita semelhança formal com a relação entre o arrendatário e o proprietário, não obstante de modo algum o fosse.

Nessa relação, a propriedade fundiária surgia como fundamento da desigualdade econômica entre o fazendeiro e o colono. Ao mesmo tempo, o rendimento monetário que dela derivava era mero complemento dos meios de vida já produzidos pelo próprio trabalhador, não cobria o essencial, mas o supérfluo, relativamente à reprodução do trabalhador e sua força de trabalho. O colono sabia que era desigual, pois além da desigualdade se antepor a ele já no próprio processo de trabalho, ela se lhe antepunha de diferentes modos e em diferentes momentos no relacionamento com o fazendeiro. Nos próprios contratos essa desigualdade estava consignada. Grossi anotara contratos em que o colono, para retirar-se da fazenda, deveria fazer aviso prévio de 60 dias; mas, o seu patrão estava obrigado, em caso de não mais desejar o seu trabalho, a dar aviso prévio de apenas 30 dias [127]. Se não prestasse os trabalhos gratuitos previstos e já mencionados, o colono estaria sujeito à multa de 2$000 réis por dia, o equivalente ao salário de um trabalhador avulso. Quando o fazendeiro precisava desse tipo de trabalhador pagava até 2$500 réis. Entretanto, se o colono atrasasse o início dos serviços marcados pela fazenda, ficava sujeito à multa de 2$000 a 5$000 réis [128]. Em suma, sob a desigualdade de critérios, ficava transparente que tinha valor para o proprietário aquilo que não tinha preço para o colono — o seu trabalho. Aliás, até a República,

---

127. Vincenzo Grossi, ob. cit, pp. 443-444.
128. *Ibidem,* pp. 442 e ss.

segundo observa Warren Dean, as leis de locação de serviços agravavam essa desigualdade, pois, paradoxalmente, não garantiam "a igualdade de contrato, uma vez que dos dois contratantes, só o trabalhador era sujeito à pena de prisão se não o cumprisse" [129].

Desse modo, para o colono, a propriedade era a condição da igualdade e, ao mesmo tempo, da liberdade. Para livrar-se da sujeição da propriedade teria que tornar-se proprietário. Esse era um processo penoso. Dean estima que seriam necessários uns 12 anos de trabalho familiar para que o colono se tornasse proprietário de terra [130]. Mesmo assim, nada indica que isso fosse fácil. No censo realizado em 1904/1905 constatou-se que apenas 14,8% das propriedades rurais pertenciam a imigrantes estrangeiros, às quais correspondiam somente 9,5% da área. De mais de um milhão e duzentos mil imigrantes entrados em São Paulo até então, 8.392 haviam se tornado proprietários de terra [131]. Pesquisa feita num único município cafeicultor diminui ainda mais a escassa importância desse número, pois os imigrantes que se tornaram proprietários não eram antigos colonos, mas sim comerciantes e profissionais da cidade [132].

O cerco que os fazendeiros-capitalistas haviam imposto ao colono, através da radical formalização da renda territorial capitalizada, do monopólio de classe sobre a terra, para sujeitar e explorar o seu trabalho, produziu, mesmo assim, os resultados esperados. A obsessão do trabalho independente no campo ou na cidade foi reproduzida e reinterpretada através das relações de produção do colonato, como fruto do trabalho obstinado. Por isso tudo, o imigrante que foi trabalhar como colono não era um conformado com os ganhos monetários reduzidos. Estava de passagem pela fazenda. Ela era apenas uma etapa no movimento pela autonomia que o próprio capital lhe havia tirado no país de origem, ao tornar extorsivas as condições de *mezzadria*. Ao migrar não estava indo de um lugar a outro pura e simplesmente. Estava dando direção

---

129. Warren Dean, "A pequena propriedade dentro do complexo cafeeiro: sitiantes no Município de Rio Claro (1870-1920)", *in Revista de História*, vol. LIII, nº 106, São Paulo, 1976, p. 488.

130. *Ibidem*, p. 491.

131. Reginald Lloyd *et alii*, ob. cit., p. 630.

132. Warren Dean, *Rio Claro — A Brazilian Plantation System, 1820-1920*, cit., pp. 187-188 e 192; Michael M. Hall, *The Origins of Mass Immigration in Brazil, 1871-1914*, Ph. D. Thesis Columbia University, 1969, *passim*. Uma otimista contraposição a essas constatações encontra-se em Thomas H. Holloway, "Condições do mercado de trabalho e organização do trabalho nas plantações na economia cafeeira de São Paulo, 1885-1915 — Uma análise preliminar", *in Estudos Econômicos*, volume 2, nº 6, IPE-USP, São Paulo, 1972. Dean contesta a interpretação de Holloway, que contesta a interpretação de Hall.

a esse movimento no rumo do trabalho autônomo. Essa inquietação conformista, essa mobilidade, teve contrapartida na economia do café: a contínua oferta de mão-de-obra subvencionada pelo governo, condição da também contínua ocupação de terras novas. A reposição cíclica da força de trabalho ficava vinculada à reprodução extensiva do capital cafeeiro.

A fazenda de café transformou-se num empreendimento de conversão de trabalho em mercadorias, a partir de relações não capitalistas de produção. A mais-valia absoluta incorporada ao café entregue no mercado, constituída numa imensa massa de trabalho não pago, realizava-se predominantemente fora da economia cafeeira. A brecha de "vazamento" desse capital para fora da agricultura era a própria mercadoria, à qual a mais-valia absoluta estava incorporada como trabalho pretérito não pago. Aparentemente, a produção de café se baseava numa alta composição orgânica do capital, com acentuada proporção de investimentos nas máquinas e instalações de beneficiamento relativamente aos dispêndios monetários sob a forma de capital variável. De fato, porém, a composição orgânica do capital era baixa, já que o peso da atividade da fazenda não estava no beneficiamento do café, mas no trato e, principalmente, na colheita. Nesse sentido, através do trabalho pretérito incorporado à mercadoria, a produção agrícola remunerava o capital do tratamento industrial do café. Desse modo, a reprodução do capital teria que ocorrer, na cafeicultura, predominantemente sob a forma de reprodução extensiva e territorial, baseada amplamente na exploração da mão-de-obra sob relações não capitalistas de produção.

Não importa desvendar apenas os mecanismos da acumulação do capital. Essa acumulação não seria possível se o trabalhador não legitimasse a exploração baseada em relações não capitalistas de produção. A questão não é estritamente econômica. A extorsão de riqueza sob o regime escravista não precisava de outro fundamento que não fosse a vontade e o látego do senhor de escravos. No regime capitalista de produção, sabemos, essa extorsão se apóia na aparência de que o salário, cobrindo os meios de vida necessários à reprodução do trabalhador e sua família, cobre de fato o valor de sua força de trabalho. Nenhum dos dois mecanismos operava no regime de colonato, como julgo ter demonstrado. O colono ficou no meio caminho entre a transparência da exploração, já que o trabalho excedente se materializava em objetos distintos do trabalho necessário, e a ilusão de que o que recebia correspondia ao valor do seu trabalho. O colono viveu uma ilusão específica, que não era produzida pela relação capitalista do salário em dinheiro. O colono viveu a ilusão de que o que entregava ao fazendeiro sob forma de café era o tributo que pagava para trabalhar para si próprio. O colono não se considerava proprietário dos meios de produção nem mesmo proprietário da terra. Ele se considerava proprietário do seu próprio trabalho, do trabalho materializado nos produtos da agricultura de subsistência, mesmo que com isso, na verdade, estivesse entregando o seu trabalho a outrem, ao fazendeiro.

Por outro lado, a contradição da produção capitalista de relações não capitalistas de produção não podia se resolver no próprio interior da economia cafeeira. Como a fazenda não absorvia capital senão limitadamente, já que ela própria produzia a parcela básica do seu capital, pela transformação da renda-em-trabalho em capital, a oposição entre práticas capitalistas e relações de produção não-capitalistas se resolveria na reprodução capitalista do capital, fora do café, na indústria, como se deu, quase ao mesmo tempo em que se instalou o trabalho livre.

Ao mesmo tempo em que a economia do café remanejava o colono para o trabalho independente, remanejava o capital por ela engendrado para o empreendimento em que se desse a reprodução capitalista do capital, isto é, a reprodução baseada no trabalho assalariado. Ao produzir essa relação, o café produzia também a sua sujeição, a sujeição das relações não-capitalistas de produção do colonato às relações do modo especificamente capitalista de produção da grande indústria.

(Março de 1978)

Segunda Parte

A INFLUÊNCIA DO CAFÉ NA INDUSTRIALIZAÇÃO E NA FORMAÇÃO DA CLASSE OPERÁRIA EM SÃO PAULO

I

O CAFÉ E A GÊNESE DA INDUSTRIALIZAÇÃO EM SÃO PAULO *

Diversos estudos importantes foram feitos sobre a industrialização brasileira. Seguindo diferentes caminhos, os pesquisadores têm procurado descobrir quais foram os recursos mobilizados pela economia colonial de exportação para chegar à atividade industrial; como foram engendradas as novas relações sociais envolvidas na gênese da indústria; como se deu a transição histórica envolvida nessa passagem; qual a articulação que se deu entre agricultura e indústria [1].

No entanto, pode-se notar diversas falhas em vários desses estudos, sobretudo afirmações, hipóteses e conclusões geralmente negadas

* Agradeço ao prof. Sérgio Buarque de Holanda a leitura interessada deste artigo e os comentários a diversas de suas passagens. Agradeço, igualmente, a Tamás Szmrecsányi a leitura atenta e os comentários. Publicado originalmente em *Contexto*, nº 3, Hucitec, São Paulo, julho de 1977.

1. Além dos trabalhos citados nas notas seguintes, gostaria de mencionar, entre outros: Caio Prado Júnior, *História econômica do Brasil*, sexta edição, Editora Brasiliense, São Paulo, 1961; Nélson Werneck Sodré, *História da burguesia brasileira*, segunda edição, Editora Civilização Brasileira, Rio de Janeiro, 1967; Heitor Ferreira Lima, *História político-econômica e industrial do Brasil*, Companhia Editora Nacional, São Paulo, 1970; Omer Mont'Alegre, *Capital & capitalismo no Brasil*, Editora Expressão e Cultura, Rio de Janeiro, 1972; Carlos Manuel Peláez, *História da industrialização brasileira*, Apec Editora, Rio de Janeiro, 1972; Florestan Fernandes, *A revolução burguesa no Brasil*, Zahar Editores, Rio de Janeiro, 1975; Sérgio Silva, *Expansão cafeeira e origens da indústria no Brasil*, Editora Alfa-Ômega, São Paulo, 1976. Tenho notícia de alguns estudos inéditos sobre este tema, que, por isso, não foram considerados no meu trabalho. Entre eles menciono o estudo de Wilson Cano sobre as *Raízes da concentração industrial em São Paulo*, publicado em abril de 1977, quando este artigo já se encontrava com o editor.

pelos fatos empíricos. Apesar de todos os esforços, a história e a análise histórico-concreta da industrialização brasileira ainda estão por ser feitas. De fato, temos hoje, infelizmente, mais interpretação e generalização do que a pesquisa empírica realizada permitiria.

De qualquer modo, até recentemente esses estudos orientaram-se para dois temas relacionados com o objeto: a *substituição de importações* e a emergência e difusão da *habilidade empresarial.* É claro que os caminhos seguidos para analisar esses temas não são sempre os mesmos e é claro, também, que eles não têm sido propostos como temas alternativos um em relação ao outro. Em um dos casos esses temas foram considerados conjuntamente.

Neste trabalho eu pretendo sublinhar alguns problemas que podem ser encontrados nos diferentes estudos. Estou ciente de que essas considerações implicam a sugestão de uma interpretação alternativa para a gênese da industrialização brasileira.

1

O leitor da *Formação Econômica do Brasil,* de Celso Furtado [2], surpreende-se pela falta de um capítulo ou seção sobre as origens da indústria no Brasil e, particularmente, sobre as relações da indústria nascente com a economia cafeeira e a economia de outros produtos primários de exportação. Entre a parte IV, sobre "Economia de transição para o trabalho assalariado (século XIX)" e a parte V, sobre "Economia de transição para um sistema industrial (século XX)", há unicamente um capítulo sobre a crise do café, mas absolutamente nada sobre as origens da indústria. O leitor depara repentinamente, sem nenhum esclarecimento, com a referência ao sistema industrial como base para explicação das razões por que a crise de 1929 não foi desastrosa para o Brasil, quando houve declínio nos preços de café e, conseqüentemente, declínio da capacidade brasileira de importação.

Quando a crise começou, o preço do café sofreu enormes reduções no mercado internacional, enquanto a produção cafeeira cresceu em decorrência do incremento do plantio em meados dos anos vinte.

Além disso, o mercado internacional do café não cresceu. Os produtores se defrontaram, então, com este dilema: não colher o café ou procurar suporte financeiro para colher e estocar o produto. A última solução parecia impraticável porque as estimativas mostravam que esse café não poderia ser negociado a curto prazo. Dez anos seriam necessários para que o mercado retornasse a níveis normais.

---

2. Celso Furtado, *Formação econômica do Brasil,* Editora Fundo de Cultura, Rio de Janeiro, 1959 (segunda edição).

Na interpretação de Furtado, o governo, visando estritamente a proteger os interesses dos produtores de café, tomou medidas para que o café fosse colhido e decidiu financiar essa operação para em seguida estocar ou destruir o produto. Em conseqüência das condições externas difíceis, o crédito não poderia ser recebido de fora. Assim, o governo adotou um sistema de expansão interna do crédito.

Desse modo, o café poderia ser comprado a preços que não prejudicassem os interesses dos cafeicultores. Isso ocorreria de modo que recursos de origem externa fossem substituídos por recursos de origem inflacionária. Ao invés da crise atuar como multiplicador de desemprego, ela atuaria na direção oposta.

A manutenção da renda do setor importador promoveu o crescimento da demanda de importações, desproporcionalmente à capacidade de importação do país. Esse fato implicou um crescimento dos preços de produtos importados, acima do que teria ocorrido se o Estado não tivesse decidido comprar o café e se o seu resultado não tivesse sido o decréscimo do desemprego provável. Por esse meio, os preços das importações subiram mais do que os preços internos e, em conseqüência, a situação econômica tornou-se propícia para a indústria interna. Por esse meio, o fluxo de renda originado da compra e queima de café incrementou a renda e o emprego nos setores industriais e agrícolas devotados ao mercado interno.

A política econômica do governo teria, assim, produzido o que Furtado denomina de "socialização das perdas" [3]. Ou seja, por meio do crédito interno a sociedade inteira foi obrigada a pagar pelas perdas do café. No entanto, a socialização das perdas teria produzido um resultado não esperado. Inconscientemente [4], teria sido promovida uma política de emprego que estimulou principalmente a produção industrial para o mercado interno. A indústria, então, encontrou-se na função de produzir para substituir importações.

Esse esquema geral apresenta diversos problemas. Um deles é a afirmação de que a manutenção do nível de emprego e o seu resultado, o estímulo à industrialização, foram produtos inconscientes da política adotada. Oficialmente, o governo teria pretendido proteger apenas os interesses dos cafeicultores. Na verdade, entretanto, isso não parece completamente verdadeiro. Em primeiro lugar, porque um certo período de tempo decorreu entre o começo da crise e as primeiras tentativas de resolvê-la. Quando a crise começou, Washington Luís era o presidente. Aparentemente, o seu governo era favorável aos interesses dos fazendeiros. Mas, sabe-se que ele discordava dos cafeicultores sobre a política do café e que tinha um

---

3. Celso Furtado, *ob. cit.*, pp. 218-220.
4. Celso Furtado, *ob. cit.*, p. 225.

relacionamento favorável com os industriais. Isso quer dizer, pelo menos, que o Estado brasileiro não estava irremediavelmente comprometido com os representantes do café, nem estava irremediavelmente contraposto aos interesses dos industriais. Esse esquema tem dado margem a que se interprete o Estado anterior a 1930 como Estado estritamente vinculado aos interesses do que equivocamente se denomina de aristocracia fundiária *contra* os interesses da burguesia industrial. Além de forçar o uso, totalmente descabido, de um esquema interpretativo que toma essa data como divisora numa suposta e equivocada (porque simplista) passagem de pré-capitalismo a capitalismo, tal suposição não tem o menor fundamento.

Somente um ano mais tarde, depois da Revolução de 1930, quando o presidente foi sucedido por uma Junta e, em seguida, por Getúlio Vargas, é que foram tomadas medidas para resolver o problema do café. Antes dessa ocasião, há indicações de casos de fazendeiros que ficaram sem recursos para enfrentar a crise e tiveram que transferir suas terras para os credores — bancos, comerciantes e, até, colonos.

Não é, pois, absolutamente correto que evitar o desemprego tenha sido completamente inconsciente, que se tenha praticado, "inconscientemente, uma política anticíclica" ou que o objetivo do governo tenha sido unicamente o de proteger os interesses dos produtores de café, devendo-se, a recuperação econômica, após 1933, "à política de fomento seguida inconscientemente no país e que era um subproduto da defesa dos interesses cafeeiros" (pp. 224-225). O próprio responsável pela política econômica do governo provisório, o banqueiro paulista José Maria Whitaker, assim explica as decisões governamentais em relatório publicado em abril de 1933, antes da recuperação: "Formara-se, então, em São Paulo, um grande estoque de café, que impedia, como uma muralha de barragem, a livre saída da produção desse Estado. Atrás dessa muralha debatia-se a lavoura, na situação terrível de não poder nem vender o seu produto, que só chegaria a Santos depois de dois anos e meio de retenção, nem levantar sobre ele qualquer quantia, que os particulares lhe negavam e os institutos oficiais já lhe não podiam fornecer. Em conseqüência desta situação cessaram de ser pagos regularmente os próprios colonos, e, como, com isso, não recebessem os comerciantes do interior, o que já lhes tinham adiantado, deixaram, por seu turno, de pagar aos atacadistas e importadores, refletindo-se, naturalmente, tais dificuldades nas *indústrias,* que ficaram inteiramente paralisadas." (Grifo meu.) "Resolvida, pelo Governo, a demolição daquela barragem, iniciada, por outras palavras, a compra do estoque, a produção pôde escoar-se normalmente, restabelecendo-se, assim, o ritmo interrompido da vida econômica em todo o País." Em conseqüência, constata Whitaker, "o comércio reanimou-se, as *indústrias movimentaram-se, desapareceram os 'sem trabalho'* ". (Grifo meu) [5] Na verdade, desde 1928, ao definirem os seus antagonismos com os comerciantes e fundarem o Centro das Indústrias, os industriais optaram por constituir-se em grupo de pressão sobre o governo para obter em seu favor uma política protecionista [6].

Uma falha no estudo de Furtado é justamente a falta de dados empíricos para apoiar o seu esquema de uma política inconsciente de emprego. Uma outra é que o leitor fica sem saber de onde vem a indústria, cuja produção passa a substituir as importações e que se desenvolve como novo centro dinâmico da economia brasileira.

Há mais dois autores, pelo menos, que explicam a industrialização brasileira como resultado da substituição de importações. Um deles é Roberto Símonsen [7] e o outro é Antônio Castro [8]. Nesses casos, a Primeira Guerra Mundial é considerada um ponto essencial de referência na consideração dos fatores da industrialização. Embora não se explicite quais os meios econômicos que suportaram a industrialização, de forma clara como o faz Furtado nas suas considerações hipotéticas, esses autores tomam como referência algumas evidências estatísticas que favoreceriam a hipótese de um *boom* industrial nesse período.

De um lado, o censo de 1920 fornece dados sobre o ano de origem das indústrias recenseadas nesse ano. Esses dados, à primeira vista, sugerem que o período da guerra foi importante para a indústria brasileira. Mas, esses autores não levam em conta que fábricas organizadas muito antes da guerra foram fechadas e seu patrimônio reaparece mais tarde, como empresas mais recentes, nas mãos de outros capitalistas que não os do primeiro momento. Outras vezes, as empresas foram reorganizadas anos depois da origem ou foram simplesmente fechadas. É possível que, neste último caso, novas fábricas tenham ocupado seu lugar no período da guerra. Além do que, os dados desse recenseamento omitem o fato essencial do movimento de concentração de capital, que foi significativo no período por ele coberto. Na verdade, os dados de 1920 não recons-

5. José Maria Whitaker, *A administração financeira do Governo Provisório de 4 de novembro de 1930 a 16 de novembro de 1931*, E. G. Revista dos Tribunais, São Paulo, 1933, pp. 10 e 14.

6. José de Souza Martins, *Conde Matarazzo: o empresário e a empresa*, segunda edição, segunda reimpressão, Hucitec, São Paulo, 1976, pp. 103-104.

7. Roberto C. Símonsen, *Evolução industrial do Brasil*, Federação das Indústrias do Estado de São Paulo, São Paulo, julho de 1939.

8. Antônio Barros de Castro, *7 ensaios sobre a economia brasileira*, vol. II, Forense, Rio de Janeiro/São Paulo, 1971, pp. 103-164.

tituem a verdadeira seqüência de fatos relativos à história da industrialização. O censo sobrestima o que ocorreu durante o período da guerra e subestima o que ocorreu em anos anteriores.

De outro lado, em 1907, o Centro Industrial do Brasil realizou um censo incompleto da indústria brasileira. No entanto, alguns autores não hesitam em comparar entre si os dados incomparáveis de 1907 e de 1920 para concluir que um grande crescimento da indústria teve lugar entre aqueles dois anos. Em conseqüência, eles admitem que as causas do crescimento teriam sido as dificuldades de importação de manufaturados durante os anos da guerra. Entretanto, como demonstrou Warren Dean, o período intercensitário cobre treze anos, enquanto que a guerra durou apenas quatro anos. O seu cuidadoso exame dos dados mostrou que o crescimento industrial dessa época ocorreu antes — e não durante — a guerra [9].

Numa certa medida, alguns dados arrolados por Richard Graham, relativos à importação de bens de capital da Grã-Bretanha, são indicativos de um contínuo e crescente investimento na indústria, desde tempos recuados até 1909, quando cessam as informações. A importação de bens de capital daquele país subiu, sobre o total de importações, de 14,2% em 1850/54 para 41,7% em 1905/09, enquanto a importação de têxteis caiu de 72,5% em 1850/54 para 35,8 em 1905/09 [10].

Essas são indicações de que o crescimento da indústria no período da guerra foi seguramente menor do que leva a crer a comparação indevida das duas fontes e de que a guerra teve um papel menos importante no desenvolvimento industrial brasileiro.

Warren Dean representa outra tendência na tentativa de relacionar a substituição de importações com a industrialização. Na sua interpretação, foi a familiaridade dos comerciantes importadores com o mercado consumidor de manufaturados e com os produtos industriais que costumavam importar que lhes abriu a porta para que produzissem eles próprios as mercadorias que mandavam buscar no exterior. Dean tenta provar sua interpretação através de uma lista em que arrola sessenta e cinco empresas que, em 1910, se devotavam à importação e que passaram a dedicar-se à indústria antes da guerra. Ele descobriu que trinta e sete dessas sessenta e cinco casas importadoras passaram a produzir diretamente alguns produtos que até então haviam importado [11].

---

9. Warren Dean, *The industrialization of São Paulo, 1880-1945*, University of Texas Press, Austin & London, 1969, pp. 83-104.
10. Richard Graham, *Britain and the onset of modernization in Brasil: 1850-1914*, Cambridge, University Press, 1968, pp. 330-332.
11. Warren Dean, *ob. cit.*, pp. 26-28.

Entretanto, é importante ser muito cuidadoso com essa interpretação do dado. Não é a mesma coisa dizer que quase 50% das casas importadoras passaram a desenvolver algum tipo de atividade industrial e dizer qual a proporção, no total das indústrias da época, das que procederam de casas importadoras. Em verdade, o que Dean faz é produzir uma explicação para o que ocorreu com as casas importadoras e não para o que ocorreu com a indústria. Se pudéssemos organizar um rol de todas as indústrias existentes nesse ano, quantas de fato originaram-se nos negócios de importação? A proporção será provavelmente muito menor, como se pode inferir do rico elenco de informações contido no estudo que Maurício Vinhas de Queiroz realizou cuidadosamente de 1962 a 1972 [12]. Além do que seria necessário trabalhar com dados mais precisos do que aqueles utilizados por Dean. De algumas das empresas constantes da sua lista, há indicações, por outras fontes, de que não inauguraram atividades industriais, mas adquiriram o controle de fábricas já existentes. Dentre os grandes grupos econômicos, há o caso, por exemplo, de Zerrener, Bülow & Cia., uma casa importadora que começou suas atividades no século passado na cidade de Santos e que mais tarde se transferiu para São Paulo. Essa empresa assumiu o controle, provavelmente no começo deste século, da importante fábrica de cervejas, gelo e refrigerantes Companhia Antárctica, cujas origens remontam aos anos 80. Na lista de Dean, Zerrener, Bülow & Cia. aparecem como iniciadores de atividade industrial.

É inegável que as casas importadoras desempenharam um importante papel na difusão de conhecimento sobre os mercados para bens industriais, sobre costumes econômicos ou praxes de comercialização e assim por diante, o que foi significativo na experiência dos importadores que se tornaram industriais. Mas, é absolutamente claro que os negócios de importação não foram o único e, provavelmente, nem o mais importante ponto de partida para a industrialização brasileira. De qualquer modo, a conclusão alcançada por Dean é mais simples e modesta do que aquela sugerida por sua declaração inicial. Ele diz:

"A industrialização de São Paulo dependeu desde o começo da demanda gerada pelo crescente mercado externo de café" [13].

Dean arrola algumas condições, relacionadas com essa suposição geral, para que a industrialização se efetivasse. A primeira refere-se à existência de uma economia monetária. A propósito, afirma:

---

12. Maurício Vinhas de Queiroz, *Grupos econômicos e o modelo brasileiro*, mimeo., Brasília, 1972.

13. Warren Dean, *ob, cit.,* p. 3.

"O café foi o fundamento do crescimento industrial interno, em primeiro lugar porque propiciou o mais elementar pré-requisito de um sistema fabril — uma economia monetária. Sem um artigo de exportação, os fazendeiros de São Paulo tinham pouca necessidade de dinheiro ou crédito. Antes da introdução do café, as fazendas eram tipicamente devotadas à agricultura de subsistência, mesmo quando fossem suficientemente extensas para necessitar trabalho escravo ou de parceiros"[14].

Essa afirmação é completamente errônea. Primeiramente porque o café foi antecedido por um ciclo da cana-de-açúcar na região central e na região norte-litorânea de São Paulo. A primeira dessas regiões foi onde o café penetrou já na fase de substituição do escravo pelo colono e na fase de surgimento da indústria. Além do que é necessário ter em conta a economia do algodão dos anos sessenta. De fato, desde o século XVIII algum tipo de economia exportadora existira em São Paulo. Isso está amplamente relacionado, embora não exclusivamente, com a decisão do governo português de centralizar as atividades de exportação no porto de Santos, na passagem do século, ao mesmo tempo em que determinou o fechamento de outros portos dos litorais sul e norte da capitania ao comércio externo. Foi nesse momento que o crescimento econômico de São Paulo se tornou significativo, propiciando o aparecimento de uma dinâmica burguesia comercial, que se ligará aos negócios do açúcar e que assumirá a hegemonia do processo de Independência, estando no centro dos acontecimentos de 1822 (a "bernarda" de Francisco Inácio e a Independência propriamente dita).

Mesmo assim, é necessário considerar que para Dean

"Em São Paulo havia apenas dois bancos antes de 1872, ambos filiais de firmas do Rio. A partir do momento em que os fazendeiros encontraram um mercado monetário para os seus produtos, no entanto, o volume de dinheiro em circulação e o crédito bancário cresceram"[15].

Acontece, porém, que o desenvolvimento das atividades bancárias e o aparecimento de novos bancos, principalmente durante os anos 90, estão relacionados com a transformação das então chamadas seções bancárias das casas comerciais em bancos autônomos. Tudo indica que comerciantes e fazendeiros desempenharam um importante papel bancário antes dessa época. Assim sendo, o aparecimento de instituições de crédito com o nome de bancos não deve ser confundido com o começo do sistema de crédito em São Paulo.

---

14. Warren Dean, *ob. cit.*, p. 4.
15. Warren Dean, *ob. cit.*, pp. 4-5.

Aquelas referências estão relacionadas com a suposição mais geral de um amplo crescimento da economia de mercado que teria ocorrido na área de São Paulo, nessa época, exclusivamente em função do comércio de café.

Mas, Dean vai adiante:

"Em São Paulo os fazendeiros descobriram que era impossível atrair trabalhadores da Europa sem o pagamento de salários em dinheiro. Depois eles descobriram que o pagamento em dinheiro lhes era vantajoso. O emprego mais econômico de seus trabalhadores era na produção do café e não na de produtos de subsistência; em conseqüência, os colonos — trabalhadores imigrantes — foram proibidos de cultivar qualquer outra coisa que não fosse café, uma vez os cafeeiros alcançassem a maturidade" [16].

Na verdade, entretanto, nem os colonos eram característicos trabalhadores assalariados nem foram proibidos de cultivar outra planta que não fosse café após a maturação dos cafeeiros. O contrário é o verdadeiro. A imigração para o Brasil só se tornou um fato, tanto para os fazendeiros quanto para os trabalhadores, quando se chegou à fórmula que combinou o pagamento em dinheiro (pelas carpas do cafezal e pela colheita do café) com a permissão para o cultivo de gêneros de subsistência entre as leiras do cafezal ou num terreno à parte dentro da fazenda. De fato, o regime de colonato desenvolveu-se como uma complexa combinação técnica e econômica de produção do café como mercadoria e de produção direta dos meios de vida necessários à reprodução da força de trabalho. Em conseqüência, a extensão da economia de mercado e do dinamismo de mercado foi menor do que Dean presume [17].

As diferentes interpretações sobre o papel desempenhado pela substituição de importações na industrialização brasileira tem em comum a idéia de um mercado interno estreitamente vinculado às exportações. Em outras palavras, a economia de exportação teria sido inteiramente responsável pelo aparecimento do mercado ou, dizendo de outro modo ainda, o mercado teria sido uma função das exportações. Entretanto, tendo em conta essa linha de reflexão, não fica absolutamente clara a origem da indústria. Particularmente, não se pode entender como a indústria cresceu fora dos períodos de

---

16. Warren Dean, *ob. cit.*, p. 5.
17. José de Souza Martins, *A imigração e a crise do Brasil agrário*, Livraria Pioneira Editora, São Paulo, 1973; José de Souza Martins, *Capitalismo e tradicionalismo: estudos sobre as contradições da sociedade agrária no Brasil*, Livraria Pioneira Editora, São Paulo, 1975.

crise no setor exportador. O importante a notar é que, para explicar a substituição de importações nos períodos críticos do café, os autores referem-se ao fato de que a indústria veio socorrer a economia, substituindo importações; mas ocorre que essa indústria já existia.

Dessa constatação decorreram duas posições. Uma formulada por mim no estudo sobre a industrialização através do caso Matarazzo e que está fundada numa ampla pesquisa empírica que envolveu diversos grupos econômicos pioneiros: é a de que a indústria brasileira não surgiu no próprio corpo das relações imediatamente produzidas pelo comércio de produtos coloniais, como o café, mas sim nos interstícios dessas relações, à *margem* e *contra* o circuito de trocas estabelecido pelos importadores. Assim, a *gênese* da indústria brasileira não deve ser buscada nas oscilações da economia do café, na alternância de períodos de crise e falta de crise. Na verdade, o aparecimento da indústria está vinculado a um complexo de relações e produtos que não pode ser reduzido ao binômio café-indústria. É nesse plano que se pode dizer que é improvável a hipótese de que a indústria brasileira já nasceu como grande empresa, formulada por Sérgio Silva (p. 91). A indústria de 1907 já era indústria consolidada e é nos dados do censo industrial desse ano que aquele autor funda a sua conclusão. Na verdade, os principais grupos econômicos, os que se tornaram grandes depois, surgiram no último quarto do século XIX. E praticamente todos eles nasceram para substituir a produção artesanal e doméstica ou a produção em pequena escala disseminadas por um grande número de pequenos estabelecimentos tanto na capital quanto no interior. Aliás, a indústria em São Paulo nasceu distribuída por quase todos os municípios da província. Só depois do "Ensilhamento" é que passou a concentrar-se na capital e nuns poucos municípios importantes do interior, o que completou um processo iniciado com a expansão das ferrovias. Nasceram, portanto, para substituir a pequena produção intersticial e não para substituir importações.

A outra posição é a de Warren Dean. No seu entender, a habilidade dos empresários devotados à importação tornou-se o principal fator da industrialização porque eles perceberam a sua importância durante os períodos de estabilidade no comércio do café. Com isso Dean centra a sua análise num fator cultural, na cultura como produtora de relações sociais e de transformações sociais. Na verdade, ele procede a uma inversão, ou a uma transfiguração, da problemática marxista da produção da consciência historicamente determinada. Nesse plano confunde a habilidade ou o adestramento empresarial, definidos como elementos culturais aprendidos na prática comercial, com a consciência burguesa. Dean consegue, desse modo, descaracterizar a consciência como interpretação e componente do processo social, como *produto* da práxis burguesa, para reduzi-la à dimensão de capital cultural que *causa* as transformações históricas. Por isso, essa cultura teria sido acessível aos comerciantes importadores, transferida do exterior, mas não aos demais setores da burguesia local.

A propósito, cabe uma referência quase à margem a um autor recente, Luís Werneck Vianna, que pretende ter observado um viés schumpeteriano e weberiano nessa linha de interpretação adotada por Dean e que ele atribui à minha influência. Embora o seu trabalho tenha muito pouco a ver com o tema, cabe dizer que essa afirmação é obviamente infundada. Confundir a orientação culturalista de Dean com a postura de Schumpeter e Weber é evidenciar desconhecimento tanto de Schumpeter quanto de Weber, dado que essa não é a posição de nenhum dos dois autores. Como se sabe, a tese schumpeteriana do empresário demiurgo consiste em colocar o capitalista no centro do processo de desenvolvimento, como personagem criador. Mas, não é schumpeteriano o empresário que joga com a probabilidade do ganho, do êxito, do menor risco (caso dos empresários supostos na tese de Dean), mas sim o empresário "que torna as irracionalidades racionais", que age contra todas as probabilidades aparentes de acerto — isto é, o empresário que inova, que foge da rotina do capitalismo. Os empresários de Dean, ao contrário, não trocaram o certo pelo incerto e sim o certo pelo absolutamente certo. A fustigação de Weber também é gratuita, pois Vianna vê um certo psicologismo no trabalho de Dean e se alguma coisa não se pode dizer de Weber é justamente que seja psicologista. A referência ao meu trabalho também revela falta de leitura, pois ele foi elaborado exatamente na linha oposta à da interpretação schumpeteriana, como aliás consta do texto...

2

A posição de Dean é o ponto de partida para o segundo tema relacionado com o problema da industrialização brasileira — o que eu chamo de difusão da habilidade empresarial. Até onde sei, Dean é o único autor que tenta juntar essas duas linhas de interpretação — a da substituição de importações e a da difusão de habilidade — formuladas e postas em discussão (é preciso que se diga com ênfase) por pesquisadores brasileiros. Esse segundo tema, no entanto, tem uma origem bem mais rica, teoricamente falando, riqueza, porém, que progressivamente se perdeu.

A explanação pioneira com ele relacionada procede de Fernando Henrique Cardoso [18]. Na origem, difere profundamente, no entanto, de outras claramente baseadas numa certa idéia de difusão cultural, como as de Dean e de Graham. A principal diferença é a de que Cardoso analisa os fundamentos históricos e sociais da consciência empresarial relativa à industrialização.

O problema básico é este: como foi possível a uma economia agrícola devotada à exportação e baseada no trabalho escravo mudar para uma economia industrial baseada no trabalho livre? A primeira vista, a relação entre senhor e escravo não era uma relação capitalista. Como apareceu o capitalista industrial, então? Como se vê, Cardoso orienta a sua análise no sentido de explicitar as relações de produção que determinam a consciência do burguês industrial e ao mesmo tempo a transição histórica em que esse processo se dá.

Aos que não estão familiarizados com o tema pode ser útil esclarecer que o café, numa certa medida, é uma cultura itinerante [19]. O cultivo intensivo e econômico do café começou nas vizinhanças do Rio de Janeiro, no final do século XVIII, embora aí não tenha se originado, e progressivamente deslocou-se em direção à província de São Paulo. Durante a primeira metade do século XIX, cobriu a região paulista do Vale do Paraíba, envolvendo toda a área entre a cidade de São Paulo e o antigo município neutro ou da corte. Não obstante, o porto do Rio de Janeiro permaneceu como o principal porto de exportação de café, tanto originário das plantações fluminenses como das paulistas do Vale do Paraíba. No começo da segunda metade do século, o café já tinha penetrado na região central da província paulista. No começo deste século já abrangia o que se chama de Oeste velho. Nas décadas de 30 e 40 foi penetrando no Paraná e hoje já penetra no Paraguai. Ao mesmo tempo, as regiões mais antigas foram sendo progressivamente abandonadas.

Durante o período de deslocamento do café do Vale do Paraíba para a região central, deu-se o fim do tráfico de escravos. Começaram, então, as primeiras tentativas de substituição dos escravos

---

18. Fernando Henrique Cardoso, "O café e a industrialização da Cidade de São Paulo", *Revista de história*, nº 42, São Paulo, 1960; Fernando Henrique Cardoso, "Condições e fatores sociais da industrialização de São Paulo", *Revista brasileira de estudos políticos*, nº 11, Belo Horizonte, 1961; Fernando Henrique Cardoso, "Condições sociais da industrialização de São Paulo", *Revista Brasiliense*, nº 28, março-abril de 1960; Fernando Henrique Cardoso, *Empresário industrial e desenvolvimento econômico no Brasil*, Difusão Européia do Livro, São Paulo, 1964.

19. Sérgio Milliet, *Roteiro do café e outros ensaios*, terceira edição, Coleção Departamento de Cultura, São Paulo, 1941.

por trabalhadores imigrantes, dentro das próprias fazendas, dado que experiências anteriores com imigrantes estrangeiros referiam-se a programas de colonização.

Numa certa medida, mas não completamente, o deslocamento do café de uma região para outra, que colocou a cidade de São Paulo na rota dessa mercadoria, foi marcado pela passagem do trabalho escravo para o trabalho livre. Isso significaria que os fazendeiros passaram a vivenciar relações de produção em que o trabalho tornou-se um fator de lucratividade calculável do capital. Daí que o café tenha levado ao desenvolvimento capitalista em São Paulo, mas não em outras regiões por onde passou.

Diversos fazendeiros adotaram uma posição em favor da abolição da escravatura porque teriam compreendido que o trabalho escravo impunha dificuldades ao cálculo da rentabilidade do capital, ao mesmo tempo em que o escravo representava uma imobilização de capital na pessoa do trabalhador.

Em conseqüência, a abolição da escravatura não somente tornou possível o uso racional da força de trabalho, mas liberou o fazendeiro, ao mesmo tempo, da imobilização de capital na compra de escravos. Essa liberação de capital teria sido um dos primeiros fatores na acumulação relacionada com a industrialização brasileira [20].

Como fator adicional, muitos fazendeiros mudaram-se para a cidade de São Paulo, que então oferecia uma cultura urbana mais propícia ao desenvolvimento capitalista do que a vida agrária, patriarcal e estreita nas fazendas.

Supõe-se que a acumulação de capital esteve estreitamente relacionada com o desenvolvimento da habilidade empresarial. De um lado, porque quando a calculabilidade do capital tornou-se possível teria propiciado condições para que diversos fazendeiros expandissem os seus negócios como comerciantes, como comissários de café, como exportadores e como importadores. Mais tarde eles teriam podido dedicar-se a atividades bancárias, o que os teria habilitado a descobrir que a rentabilidade do capital decorre do uso do capital pelo capital. Numa certa medida, isso teria permitido o aparecimento de uma atividade empresarial "pura". A liberação do capital, resultante da libertação do escravo e da transformação das relações de produção, teria produzido, como conseqüência, aquele tipo de pessoa, o empresário, capaz de assumir a racionalidade desse capital, dedicando-se, então, ao desenvolvimento da atividade industrial.

---

20. Otávio Ianni, *Raças e classes sociais no Brasil*, Civilização Brasileira, Rio de Janeiro, 1966.

Como se vê, esse esquema trata o assunto integradamente: ao mesmo tempo em que centra a discussão na transição histórica das relações sociais, trata essas relações no âmbito da totalidade por elas engendrada, vinculando-as a uma modalidade de consciência — a consciência burguesa — necessária, como mostrou Marx, à realização do movimento do capital. Por aí teríamos indicações de como o capital se libera das peias que dificultam o seu circuito e, ao mesmo tempo, de como ele se apossa da pessoa do capitalista, para assumir a vida que não tem, para que a sua racionalidade, a sua necessidade de reprodução, se metamorfoseie na necessidade do burguês.

Não obstante a sua adequação teórica para explicar a industrialização no Brasil, esse esquema ainda assim oferece alguns pontos de dúvida.

Um primeiro ponto, teoricamente claro, mas empiricamente, no caso brasileiro, sujeito a dúvidas, consiste em saber se a consciência burguesa foi condição ou resultado das transformações nas relações de trabalho. De um lado, porque é preciso não confundir origem com determinação. Sabemos que a consciência se determina pela mediação das relações de produção, o que não quer necessariamente dizer que, no processo de transição concreto, a emergência da consciência burguesa dependa da emergência do que Marx chamou de modo de produção *caracteristicamente* capitalista. Concretamente, a experiência e as tradições da burguesia comercial têm um papel significativo, embora nem fundamental nem exclusivo, na condução do processo de reformulação das relações de trabalho. Não é por menos que, no caso brasileiro, a substituição do trabalho escravo pelo trabalho livre, como já se demonstrou em estudos como os de Florestan Fernandes, Otávio Ianni, Fernando Henrique Cardoso, Paula Beiguelman e Emília Viotti, entre outros, teria sido conduzido pelo caráter impositivo da racionalidade do capital, admitida e assumida por muitos fazendeiros e comerciantes. Daí que a liberdade *do* escravo não tenha se constituído em liberdade *para* o escravo e sim em liberdade para o burguês, isto é, para o capital. A noção de liberdade que comandou a Abolição foi a noção compartilhada pela burguesia e não a noção de liberdade que tinha sentido para o escravo. Por isso, o escravo libertado caiu na indigência e na degradação, porque o que importava salvar não era a pessoa do cativo, mas sim o capital. Foi o fazendeiro quem se liberou do escravo e não o escravo quem se liberou do fazendeiro.

Por outro lado, quando a escravidão ainda era a principal fonte de trabalho, fazendeiros e comerciantes que se dedicavam à produção de açúcar na região central da província de São Paulo e a diversos negócios comerciais organizaram um banco e uma indústria têxtil. Isso se deu nas proximidades do período da Independência[21]. Embora tenham abandonado essas atividades em favor da permanência sobretudo no comércio, esse é um dado que não pode ser esquecido quando se quer analisar a emergência e as transformações da burguesia.

Além do que, mesmo no período crucial para a gênese da indústria em São Paulo, que vai de 1870 a 1905, aproximadamente, não parece que tenham sido muitos os fazendeiros que se dedicaram à atividade industrial, em parte devido ao caráter intersticial da indústria. Uma pesquisa exploratória que realizei há alguns anos, cobrindo esse período, sobre "A cafeicultura e a urbanização dos investimentos", mostrou que, pelo menos até 1905, os fazendeiros dedicavam-se a diversos negócios, além do das suas fazendas: comércio, bancos, ferrovias, indústria, comércio imobiliário, mas principalmente como acionistas das empresas — sociedades anônimas em que tinham pequena participação juntamente com um grande número de outros investidores. A palavra *capitalista,* nessa época em São Paulo, significava para eles a pessoa que vivia dos rendimentos de seu capital, mais na perspectiva do proprietário que vive da renda da terra, embora esses rendimentos se referissem principalmente ao lucro do capital. É verdade, no entanto, que diversos desses acionistas tornaram-se diretores de empresas, sobretudo bancos e ferrovias, e que, em conseqüência, envolveram-se no processo tipicamente burguês de tomada de decisões nos negócios.

Nas duas situações há elementos para considerar que o escravismo não foi, em termos causais, impeditivo para a prática burguesa num contexto de abundância de mão-de-obra escrava, antes da proibição do tráfico que se tornaria efetiva aí por 1850. E, de outro lado, o desaparecimento do escravismo não foi suficiente para um despertar de vocações empresariais entre os possuidores de capital.

Outro ponto a ser considerado é o de que o desenvolvimento da cidade de São Paulo não parece ter sido tão importante quanto se supõe para o desenvolvimento dos negócios e, especialmente, para o surgimento do comportamento capitalista e empresarial entre os fazendeiros. De dezoito bancos arrolados no Estado de São Paulo em 1902, cinco eram estrangeiros, seis tinham a sua matriz na cidade de São Paulo e sete tinham a sua matriz em cidades do interior do Estado[22]. Entre os últimos, podemos encontrar o Banco Melhora-

---

21. Maria Teresa Schorer Petrone, em dois livros, documenta e explicita vários aspectos de um dos casos, o de Silva Prado. Cf. seus *A lavoura canavieira em São Paulo*, Difusão Européia do Livro, São Paulo, 1968, e *O Barão de Iguape* (Um empresário da época da Independência), Companhia Editora Nacional, São Paulo, 1976. São igualmente importantes as observações de Sérgio Buarque de Holanda agregadas a esses dois livros.

22. José de Souza Martins, *Conde Matarazzo: o empresário e a empresa*, cit., p. 80.

mentos de Jaú, mais tarde Banco de São Paulo SA, até recentemente uma empresa importante. Isso significa que no interior distante, nas proximidades da vida estreita das fazendas, os fazendeiros já desenvolviam atividades empresariais intensivas.

Finalmente, parece que, apenas num número reduzido de casos, os fazendeiros acumularam uma experiência de liderança nos negócios seguindo esta seqüência: fazendeiro, comerciante, banqueiro, industrial. O único caso em que o modelo é seguido, pelo menos o único invocado para sustentar e legitimar o modelo, é o de Antônio da Silva Prado, o neto, o qual de fato, porém, nega totalmente a suposição aí contida. Alguns autores às vezes esperam que a sua biografia comprove acima de qualquer dúvida o que teria acontecido na economia do café para transformar o senhor de escravos num moderno burguês industrial. Prado parece reunir todas as condições para ser considerado como o tipo ideal do empresário brasileiro dessa fase: ele foi grande proprietário e produtor de café, ele próprio se dedicou à exportação de café, foi diretor de banco, foi diretor de ferrovia e organizou e dirigiu diversas fábricas, entre as quais a Vidraria Santa Marina. De outro lado, foi ministro da agricultura no período imperial; como ministro foi o principal personagem na busca do caminho que tornou possível promover a abolição da escravatura e a imigração em massa de trabalhadores livres para o Brasil em termos congruentes com a preservação da economia de exportação.

Entretanto, uma pesquisa mais cuidadosa pode revelar outras características de grande importância na sua biografia e na sua história familiar. Prado nasceu e cresceu na cidade de São Paulo, longe das fazendas. Era filho de um rico produtor de café. Mas, seu avô homônimo, o Barão de Iguape, e outros parentes ancestrais foram importantes comerciantes, alguns já no século XVIII. Esse avô começou a vida como negociante de tropas e comerciante de vários efeitos. Depois de viver um tempo na Bahia, negociando, retornou a São Paulo, onde foi fornecedor de tropas militares, arrematador de impostos, negociante de tropas, acionista da caixa filial do Banco do Brasil e fundador de uma indústria têxtil nas primeiras décadas do século XIX. Mas, foi também, durante algum tempo, produtor de açúcar na região central da província, onde mais tarde entraria o café. Não me parece que a biografia de uma única pessoa, quando estudada como exemplo e não como caso, seja a melhor maneira de explicar a habilidade empresarial e a acumulação do capital. É mais importante ter em conta o próprio capital, sua reprodução e as condições da sua reprodução [23].

---

23. José de Souza Martins, *Capitalismo e tradicionalismo*, pp. 14-42; Maria Teresa Schorer Petrone, *ob. cit.*

É provável que as transformações estruturais apontadas por Cardoso tenham sido um fator básico para a expansão e difusão do que se pode chamar de consciência empresarial (e que aparece como cultura e habilidade empresarial em Dean), mas que certamente não são os exclusivos fatores de sua origem no Brasil. Pelo menos, generalizaram uma experiência e uma visão de mundo que já ocorria, ainda que em pequena escala, no mundo da escravidão.

Warren Dean e Richard Graham são os dois autores que, no meu entender, adotaram as proposições de Cardoso, mas o fizeram num plano sensivelmente empobrecido. Ou seja, eles reduziram as formulações de Cardoso sobre a consciência burguesa a simples domínio da cultura empresarial, a um problema de *difusão* de habili: dades empresariais e não de *gênese* (histórica) da consciência do empresário. Com isso, históricamente falando, eles promovem uma alteração radical na interpretação de Cardoso. Essa alteração permite introduzir no assunto uma visão missionária, criadora e positiva do imperialismo *simultaneamente* com uma concepção negativa sobre a dinâmica histórica do país subdesenvolvido. Essa interpretação idealista das transformações sociais tem como última implicação a idéia de que a história só se faz nos centros hegemônicos do capitalismo, tendência muito mais nítida em Graham do que em Dean. Eles tomam a expansão empresarial como uma função das relações econômicas externas e não como produto de rupturas internas da economia que engloba relações externas. É como se fosse um apêndice exterior à sociedade brasileira, como se esta não constituísse uma realidade histórica, com determinações externas e internas. Isso não exclui que se proclame a importância dos trabalhos desses dois autores, que acabaram secundando a produção dos pesquisadores brasileiros com uma contribuição significativa sobre um dado do problema que vinha tendo um tratamento menor em vários estudos — que é o vínculo entre as transformações sociais e a hegemonia econômica dos países imperialistas.

Como já indiquei, Dean presume que a experiência empresarial envolvida na industrialização provinha de uma familiaridade prévia do empresário com os negócios de importação — um elo importante na dependência externa produzida pelo que Caio Prado Júnior chamou de economia colonial. Nesse ponto, Dean adota a mesma premissa de Cardoso: a de que as atividades agrícolas não seriam adequadas para produzir as habilidades empresariais (ou a consciência capitalista para Cardoso). O que na verdade se reflete nessa interpretação é a suposição de que não sendo capitalistas as relações de produção na grande lavoura, baseadas no trabalho escravo, não poderiam engendrar também uma concepção burguesa da existência e uma interpretação capitalista para o uso da riqueza, segundo as regras e a dinâmica do próprio capital. Ocorre, porém, que qualquer análise de transição histórica não pode ficar centrada na polarização mecânica de modos de produção, porque aí se torna impossível apreender o movimento da história, o caráter complexo e historicamente desigual do processo social. O trabalho escravo também permitia a acumulação de capital, ainda que principalmente fora dos quadros restritos da fazenda, nas escalas percorridas pela circulação da mercadoria e pela exploração econômica. No meu modo de ver, Cardoso está lidando essencialmente com a emergência das condições históricas para a *reprodução capitalista* do capital. A diferença entre Cardoso e Dean é a de que o primeiro trabalha com uma teoria da transição concreta, enquanto que o segundo trabalha com uma teoria da mudança social, em que os homens são os agentes conscientes das transformações, produzidas segundo os seus *interesses*.

Num outro plano, há o estudo de Graham, que não pretende se constituir numa explicação sobre a industrialização, mas apenas num estudo sobre a influência britânica no Brasil. É por isso que cabe aqui só um comentário geral sobre a sua suposição de que os ingleses teriam sido os patrocinadores da modernização necessária para vencer o tradicionalismo brasileiro. O comércio com a Grã-Bretanha trouxe capital e conhecimento para a construção de uma economia em bases modernas. Mas, parece que ele atribui demasiada importância ao que Schumpeter denomina de racionalidade técnica, confundindo-a com a racionalidade do capital. Graham esquece que uma das leis principais do capital é a de não fazer favores a quem quer que seja. Ele não assume que a racionalidade técnica existe sob o domínio da racionalidade econômica. Mas, uma questão, pelo menos, subsiste do seu trabalho no que possa ter como implicação para a análise da industrialização: foi a influência britânica que incrementou o desenvolvimento industrial ou foi o desenvolvimento industrial que incrementou a influência britânica?

Gostaria de concluir fazendo ligeiras referências a considerações alternativas que, acredito, estão contidas neste artigo:

1. Há várias indicações de que antes da abolição da escravatura e da chamada grande imigração (1886/88) ocorreu uma significativa expansão da atividade comercial e da indústria em pequena escala na província de São Paulo; não apenas na capital, mas em quase todas as cidades do interior. Isso parece sugerir que nessa época a indústria artesanal passou a desenvolver-se mais intensamente nos meios urbanos do que nas fazendas de café, cana e algodão, configurando uma espécie de separação agricultura-indústria.

2. No começo dos anos 90, durante o chamado "Ensilhamento", houve em São Paulo uma intensa atividade econômica. Di-

versas empresas foram organizadas com a finalidade de adquirir pequenas fábricas. O resultado do "Ensilhamento" em São Paulo parece ter sido uma alteração na escala da produção industrial. De fato, nos começos, a industrialização em São Paulo visou, principalmente, a substituir a produção industrial doméstica e, até, clandestina, e a produção organizada em pequena escala.

3. Um último ponto a ser considerado, quanto ao envolvimento do Estado na industrialização, é o de que desde 1900 o Estado brasileiro implantara o imposto de consumo. Com isso, o Estado reconheceu que as taxas de importação não cobriam a totalidade do consumo da sociedade brasileira e que o tesouro federal estava, em conseqüência, perdendo dinheiro. Desde então, os rendimentos públicos passaram a depender progressivamente desse imposto e, portanto, da industrialização. O setor industrial passou, pois, a ter uma importância vital para a burocracia pública. Assim sendo, a indústria ganhou a sua importância nas decisões governamentais, como ocorreu em 1931, na chamada socialização das perdas, que beneficiou a indústria, ao que tudo indica deliberadamente, e não só o café.

vêssc amparo de uma organização como a Inspetoria de Alimentação [...] questionar se "O aumento de preço poderia ou não [...] em São Paulo [...] teria tido uma alteração na escala de pro [...] distrito. De fato, nos come [...] a investigação. Só em São Paulo [...] põe subitamente a [...] sentir a influência [...] nos vários domicílios, e a [...] (não será necessária esta página toda).

Esse limite pode ter sido compreendido, quanto ao estabele- cimento de estado ou umidade absoluta, e o de uma pressão [...] ao [...] resolvem articulares e respostas de umidade. Convém ter, o como estabelecer que as taxas de importação são certas a certas [...] da concorrência internacional, a [...] e que o [...] e [...] Fecal, [...] na conveniência prudente, dinheiro. Desde então, se multi- plicam prédios permitidos [...] progressivamente [...] cidade portanto, da industrialização, nos estabeleceu a [...] Para a industrialização com para o nosso seja poderá. Assim sendo, a mais agradável a um número indefinido de progressiva [...] não estão seguro e 1931, uma base de computação das rendas, que beneficiou a indústria, que tudo tinha deliberadamente e não só a cifra.

II

AS RELAÇÕES DE CLASSE E A PRODUÇÃO IDEOLÓGICA DA NOÇÃO DE TRABALHO *

O meu objetivo, neste estudo, é o de analisar a *produção ideológica da noção de trabalho,* tendo como referência principal a área de influência do café, como uma contribuição ao entendimento das relações de classe na sociedade brasileira. Essa noção tem um lugar central na realidade das classes sociais em confronto e possibilita a compreensão das *formas do conflito social* e do que, aparentemente, surge na cena política como uma acomodação entre classes historicamente contrapostas. Esse é o caminho para penetrarmos na realidade cotidiana das relações de classe e das formas do conflito de classes, pois o trabalho está no núcleo dessas relações.

1. *As origens do trabalho livre*

A institucionalização do trabalho livre na sociedade brasileira é um fenômeno recente: estamos há cerca de 90 anos da abolição da escravidão negra e pouco mais de 100 anos do início da imigração italiana — a principal corrente de imigrantes que desaguou na formação do contingente de trabalhadores livres. Esse *curto período de tempo* é um ponto de grande importância histórica e política na determinação da consciência do trabalhador e das relações de classe. O que temos, de fato, é uma classe operária de origem recente, sem uma forte tradição de classe.

Ainda hoje é possível encontrar pessoas cujos pais vivenciaram diretamente esse momento da moderna constituição da força de trabalho no país. Um grande número de trabalhadores rurais e urbanos, sobretudo na região sudeste, foi socializado nas condições sociais

---

* Publicado originalmente em *Contexto*, nº 5, Hucitec, São Paulo, março de 1978.

dessa fase de transição. O estudo das origens do trabalho livre, em particular relacionadas com a imigração, é um passo essencial para penetrarmos na realidade social de amplos contingentes de trabalhadores do Brasil de hoje.

O primeiro fato a ser considerado é o de que, diversamente de outras sociedades, *o contingente brasileiro de trabalhadores livres era, nessa época, constituído principalmente de imigrantes estrangeiros,* particularmente italianos, espanhóis, portugueses e alemães (e esse fato marca indelevelmente a nossa classe operária, entre outras razões porque os seus setores mais antigos e de mais nítida tradição proletária estão fortemente caracterizados, ainda hoje, pela ascendência estrangeira). Isso ocorreu quando a industrialização estava no começo e a principal atividade econômica era a produção de café para exportação, isto é, o que Caio Prado Júnior chama de "economia colonial". De fato, a origem desse contingente de trabalhadores está diretamente relacionada com a substituição dos escravos e a preservação da economia colonial contra qualquer tipo de transformação [1] que pudesse ser produzida pelo desaparecimento do regime de trabalho cativo. Ou seja, o processo foi conduzido de modo a garantir a reprodução da economia voltada para a produção de artigos tropicais destinados aos mercados metropolitanos. No entanto, é necessário acentuar que essa não foi a única tendência no processo migratório. Houve imigrantes que se devotaram ao comércio ou à indústria, seja como empresários, seja como trabalhadores; assim como houve os que se dedicaram às atividades culturais. Mas, esses foram exceções. Um caso como o de Francisco Matarazzo, famoso industrial e milionário, de modo algum caracteriza a verdadeira natureza da imigração estrangeira [2].

Mais tarde, na passagem do século, quando a indústria começou a crescer significativamente, muitos daqueles primeiros imigrantes ou seus filhos e filhas mudaram-se para as cidades onde a indústria tornava-se importante, para juntar-se aos imigrantes que vieram diretamente do exterior para trabalhar nas fábricas. Mas, a sua principal experiência de vida era rural, basicamente camponesa, e de modo algum era caracteristicamente capitalista.

Em outras palavras, isso significa que o processo básico de *acumulação primitiva,* que leva à separação do trabalhador de seus

---

1. Michael M. Hall, *The Origins of Mass Immigration in Brazil, 1871-1914.* Ph. D. Thesis, Faculty of Political Science, Columbia University, New York, 1969, p. 181.

2. José de Souza Martins, *Conde Matarazzo — o Empresário e a Empresa,* 2ª edição, 2ª reimpressão, Hucitec, S. Paulo, 1976; Azis Simão, *Sindicato e Estado,* Dominus Editora — Editora da Universidade de S. Paulo, São Paulo, 1966.

meios de produção, resultando na sua transformação em homem livre sem outro recurso que não seja a venda da sua força de trabalho no mercado, *ocorreu fora da sociedade brasileira.* Isto é, a expropriação do trabalhador, com a sua característica violência, que se expressa na acumulação primitiva e na produção das condições sociais e históricas para a reprodução capitalista do capital e da força de trabalho, enquanto *processo vivido pessoalmente e subjetivamente* pela maioria dos próprios trabalhadores (imigrados para o Brasil) deu-se fora da sociedade brasileira. *Essa sociedade recebeu o trabalhador livre sem ter feito a acumulação responsável por tal liberação.* Trata-se de uma circunstância histórica que diferencia as condições de expansão do capitalismo nesta sociedade, em comparação com aquelas em que tal transformação seguiu os moldes hoje definidos como clássicos. Absorvidos pela sociedade brasileira, na grande maioria dos casos os imigrantes experimentaram uma relação entre o homem e a terra e entre o trabalhador e o proprietário que havia se tornado difícil no país de origem (como a *mezzadria* no norte da Itália, encontrando aqui um regime formalmente análogo na parceria e, até, na empreitada). Em conseqüência, a interpretação que o próprio imigrante desenvolveu sobre a acumulação primitiva, a expropriação, a expulsão e a migração para a sociedade brasileira assumiu um conteúdo conservador. A sociedade de adoção aparentemente recriava relações que estavam desaparecendo no país de origem e se apresentava para ele como a "boa sociedade", pois os que o expulsaram da terra e que se beneficiaram com a expulsão não estavam aqui. A sociedade brasileira, de certo modo, oferecia-lhe de volta o que lhe haviam tirado no país de origem.

É conveniente dizer que a abolição da escravatura não foi, em si mesma, fator de acumulação primitiva, porque ela *não produziu a separação entre o trabalhador e os seus meios de trabalho.* Na verdade, a própria escravidão já era resultado dessa separação, garantindo ao fazendeiro o monopólio dos meios de produção. A libertação dos escravos produziu unicamente a separação entre o trabalhador e a sua força de trabalho [3]. Mas, acentuo, isso ocorreu em relação a um trabalhador já despojado dos meios de produção. Apoiada no trabalho cativo, porque *o cativeiro já era a base de separação do trabalhador dos seus meios de trabalho,* a sociedade

---

3. Importantes análises sobre a separação entre a força de trabalho e a pessoa do trabalhador foram feitas por Florestan Fernandes, *A Integração do Negro na Sociedade de Classes,* Faculdade de Filosofia, Ciências e Letras da Universidade de São Paulo, São Paulo, 1964; Octavio Ianni, *As Metamorfoses do Escravo,* Difusão Européia do Livro, São Paulo, 1962; Fernando Henrique Cardoso, *Capitalismo e Escravidão no Brasil Meridional,* Difusão Européia do Livro, São Paulo, 1962; Emília Viotti da Costa, *Da Senzala à Colônia,* Difusão Européia do Livro, São Paulo, 1966.

brasileira não dispunha de outra via regular e institucional para subjugar a força de trabalho, não podendo fazê-lo unicamente através do monopólio dos meios de produção, como ocorria nas sociedades metropolitanas (é preciso lembrar que até 1850 a terra era juridicamente livre e em determinadas condições acessível a todo homem livre). Em conseqüência, quando foi possível perceber que mais cedo ou mais tarde a escravidão seria abolida, os fazendeiros e os políticos (na verdade, com grande freqüência eram um único e mesmo personagem) passaram a preocupar-se com o problema [4], pois, a libertação do escravo destruia o único meio acessível de sujeição do trabalho.

Impõe-se, também, considerar uma outra questão. A abolição da escravatura não foi resultado de um processo estritamente interno da sociedade brasileira. Para entendê-lo temos que ter em conta o processo econômico como um todo, porque ele inclui não só a produção, mas *também* a realização da mercadoria. Como assinala Marx, esses dois momentos estão vinculados entre si, de modo que o momento da produção só se torna significativo e inteligível pela mediação do momento da realização da mercadoria [5]. As relações produzidas pela mercadoria, isto é, tecidas por seu intermédio, envolvem mais do que a mera compra e venda da força de trabalho.

O trabalho escravo foi, no Brasil, uma forma de trabalho diretamente ligada às relações comerciais. Essa é a razão por que a escravidão indígena, legalizada até o começo do século XVII, foi, na forma, diferente da escravidão negra. O desenvolvimento da mineração aurífera no final do seiscentismo deixou claro esse vínculo. Ele demonstrou as bases funcionais de abolição do cativeiro indígena em 1611. Efetivamente, estabeleceu-se que a mineração do ouro seria realizada mediante o emprego de escravos africanos. As concessões auríferas seriam feitas de conformidade com o número de escravos negros possuído pelo requerente da data. Como os paulistas, devotados à caça ao índio e habituados à exploração do seu trabalho,

---

4. José de Souza Martins, *A Imigração e a Crise do Brasil Agrário*, Livraria Pioneira Editora, São Paulo, 1973, p. 47-80. O tráfico de escravos foi abolido oficialmente em 1850 sob pressão britânica. Todavia, antes da abolição definitiva da escravidão no Brasil, as crianças nascidas de mãe escrava foram declaradas libertas (Lei do Ventre Livre) e os escravos adultos tornaram-se livres aos 60 anos de idade. Desse modo, o fim da escravidão seria apenas uma questão de tempo. O problema das terras devolutas está estreitamente relacionado com o problema do trabalho livre. No mesmo ano de 1850 uma nova lei, a Lei de Terras, proibiu a livre ocupação daquelas terras, que só poderiam passar para o domínio privado mediante compra ao Estado.

5. Carlos Marx, *El Capital — Crítica de la Economía Política*, 3 tomos, trad. Wenceslao Roces, Fondo de Cultura Económica, México-Buenos Aires, 1959, vol. I, cap. 1.

teriam os seus interesses prejudicados por essa decisão metropolitana, sobretudo porque estavam apoiados numa economia monetariamente pobre, o rei de Portugal estipulou que uma quota dos escravos desembarcados no Rio de Janeiro lhes seria vendida por um preço preferencial. Isso seria feito para garantir o predomínio do princípio de que essa nova etapa da economia colonial estaria apoiada no escravo negro, isto é, no escravo-mercadoria. Ou seja, tinha em vista a promoção do comércio marítimo e os interesses comerciais dos mercadores metropolitanos, envolvidos no tráfico de escravos africanos.

A mineração aurífera criou um sistema de troca que incluía necessariamente a importação de escravos. Em conseqüência, *tudo indica que a produção fundada no trabalho escravo resultou do comércio de escravos e não o contrário* [6]. Daí que o tráfico de escravos negros tenha se constituído no ponto nuclear e sensível da escravidão. *A economia colonial poderia, pois, ser redefinida como o regime em que a produção é subjugada pelo comércio,* dado que *não só o produto do trabalho, mas o próprio trabalhador é objeto de comércio* — isto é, a forma da produção colonial é determinada pela sujeição ao comércio metropolitano, o que define a singularidade da exploração da força de trabalho, como trabalho escravo, simultaneamente ausente da produção metropolitana.

Quando, nas primeiras décadas do século XIX, a Inglaterra aboliu a escravidão nas Índias Ocidentais, para romper as condições dos preços monopolísticos das mercadorias que dali recebia, o intento era o de reduzir o custo de reprodução da sua própria mão-de-obra industrial. Assim, mercadorias como o açúcar brasileiro, ainda produzido sob regime escravista, começou a competir com a produção colonial britânica. Em decorrência, os antigos senhores de escravos das colônias britânicas, proprietários de terras que viviam na Inglaterra, passaram a exigir o fim do tráfico de escravos. Tudo indica que diferentes grupos trocaram seus papéis contra e a favor da escravidão, principalmente por causa da sua própria taxa de lucro [7].

Como conseqüência, a Inglaterra declarou-se contra o comércio internacional de escravos nas suas relações com o Brasil e obteve, nesse sentido, um acordo com o governo brasileiro, favorável às suas pretensões. No entanto, esse acordo só se tornou efetivo pouco

---

6. "Este talvez seja o segredo da melhor 'adaptação' do negro à lavoura... escravista. Paradoxalmente, é a partir do tráfico negreiro que se pode entender a escravidão africana colonial, e não o contrário." Fernando A. Novais, *Estrutura e dinâmica do antigo sistema colonial (séculos XVI-XVIII),* Cadernos Cebrap, São Paulo, 1975, 2ª edição, p. 32.
7. Eric Williams, *Capitalism & Slavery,* Capricorn Books, New York, 1966.

depois de 1850, quando praticamente cessou o tráfico de escravos para o Brasil [8].

O impacto da cessação do tráfico na economia brasileira foi temporariamente atenuado pela venda de escravos de diferentes regiões do país, sobretudo Nordeste, aos fazendeiros do Sudeste, onde começava a expandir-se a cultura do café [9]. Entretanto, é claro que o crescimento das plantações de café não poderia basear-se numa solução tão provisória.

Ainda no mesmo ano de 1850, foram adotados procedimentos legais com vistas à substituição dos trabalhadores cativos. O objetivo sugerido foi o de promover a livre imigração do exterior. Todavia, nesse ponto refletiu-se o fato de que, no Brasil, a escravidão era o principal recurso institucional para garantir aos fazendeiros uma oferta de força de trabalho compatível com a demanda dos seus empreendimentos. Se a escravidão cessasse nada poderia prevenir o deslocamento dos antigos e novos trabalhadores para as terras livres da fronteira agrícola, onde poderiam tornar-se trabalhadores autônomos em suas próprias terras [10].

2. *O regime de colonato nas fazendas de café*

Por essa razão, no mesmo ano de 1850, a chamada Lei de Terras (Lei n.º 601) definiu todas as terras devolutas como propriedade do Estado, cuja ocupação se sujeitaria à compra e venda. Exceção feita àqueles que por ocupação efetiva e cultura habitual, título de sesmaria ou qualquer outro título tivessem a posse efetiva da terra, o único caminho para que alguém se tornasse proprietário territorial a partir de então seria a compra ao Estado. Após setembro de 1850, os que estivessem na posse de terras não legitimada antes da lei, ou que não viessem a ser compradas ao governo corriam o risco de expulsão mediante ação dos "verdadeiros" proprietários, isto é, os possuidores do título de compra. A terra tornou-se acessível apenas ao possuidor de dinheiro. Generalizou-se, assim, o capital como o mediador na aquisição da propriedade territorial. Como já tive oportunidade de mostrar em outro estudo, a implantação dessa concepção de propriedade fundiária só vai adquirir claro sentido quando relacionada com a emergência do trabalho livre. A classe

---

8. Leslie Bethell, *The Abolition of the Brazilian Slave Trade* (Britain, Brazil and the Slave Trade Question: 1807-1869), Cambridge, at the University Press, 1970.

9. Paula Beiguelman, *A Formação do Povo no Complexo Cafeeiro: Aspectos Políticos,* Livraria Pioneira Editora, São Paulo, 1968.

10. Maurício Vinhas de Queiroz, "Notas sobre o processo de modernização no Brasil", *Revista do Instituto de Ciências Sociais,* Universidade Federal do Rio de Janeiro, vol. 3, nº 1, janeiro-dezembro de 1966.

dominante admitia que os imigrantes, via de regra, não teriam dinheiro suficiente para tornarem-se proprietários. No entanto, teoricamente (isto é, ideologicamente), eles poderiam economizar dinheiro para essa finalidade trabalhando durante um certo tempo nas terras dos fazendeiros.

Entretanto, nesse primeiro momento, a questão da imigração permanecia obscura porque havia uma grande confusão de idéias. Os fazendeiros das regiões mais interessadas no assunto e o governo viam a mesma questão de modos diferentes [11].

O governo tendia a considerá-la de maneira mais ampla, porque a diversidade de interesses econômicos na cena política dificultava a adoção de uma política imigratória que poderia ser interpretada como beneficiadora de um único setor — o do café — e de uma única região — o Sudeste. Daí a tendência em favor de uma política de colonização, na mesma linha da experiência brasileira prévia com a colonização no Sul. A idéia principal era a de que o Estado não deveria subvencionar o fornecimento de mão-de-obra livre para as fazendas de café, a chamada *grande lavoura*. O próprio fazendeiro deveria contratar os trabalhadores necessários às suas culturas, recrutando-os nos países de emigração.

De um modo geral, o fazendeiro pagaria pelo transporte e alimentação do imigrante e sua família até o ponto em que o trabalhador pudesse sobreviver por seus próprios meios. Antes disso, ele deveria pagar ao fazendeiro o transporte desde o país de origem, a alimentação e outros adiantamentos. De fato, esse era o meio de criar um novo tipo de dependência pessoal. O colono, o imigrante, tornando-se obrigado ao fazendeiro, ficava encerrado na fazenda, sem liberdade para deixá-la, a menos que recebesse permissão expressa do fazendeiro. Havia uma contradição nessa situação. No *nível econômico,* os fazendeiros agiam segundo princípios liberais. Eles consideravam os colonos realmente livres para comprar (mercadorias e serviços) e vender (força de trabalho). Efetivamente, porém, no plano das relações sociais, tendiam a tratar os colonos como escravos, porque criam que mantendo os imigrantes economicamente haviam de fato comprado a sua força de trabalho *adiantadamente,* tal como acontecia no regime escravista. O único meio pelo qual estariam seguros do retorno de seu capital era colocar a *pessoa* do imigrante sob uma espécie de cativeiro, pelo menos era assim que pensavam. Os fazendeiros temiam que os imigrantes se mudassem para outra fazenda, caso não concordassem com as condições de vida na sua.

A sujeição, como conteúdo da relação entre os fazendeiros de café e os imigrantes, produzida pelo controle dos débitos destes

---

11. José de Souza Martins, ob. cit.

últimos, tornou-se um fator de tensão social. Em ao menos um caso essa tensão se transformou em conflito. Na Fazenda Ibicaba (Limeira, SP) teve início, nos anos cinqüenta, um experimento de colonização particular conduzido por Vergueiro, senador do Império, liberal, grande empresário, advogado, inimigo do trabalho escravo. Entretanto, o tratamento que os colonos suíços receberam na sua fazenda provocou uma revolta sob a liderança de um mestre-escola de nome Davatz. Mais tarde, após retornar à Suíça, Davatz escreveria um livro sobre a revolta, o novo sistema de trabalho e as condições de vida nas fazendas [12]. O principal resultado do livro seria desfavorável à emigração européia para o Brasil. De fato, a crise da colonização particular decorreu da tentativa de subjugar o trabalhador pelo fazendeiro, sob uma modalidade de trabalho também, de certo modo, cativo, devido à perspectiva e entendimento de que o imigrante representava um montante de capital dispendido pelo patrão.

O governo, de seu lado, tentou resolver a questão da imigração por meio do desenvolvimento de um programa de colonização oficial. Nessa época, o Estado ainda não tinha a responsabilidade de enviar trabalhadores, por sua conta, para as grandes fazendas. Através dessa política, apenas indiretamente os principais interesses dos fazendeiros foram levados em conta pelo Estado. Na verdade, a colonização oficial foi justificada pela própria ascensão dos preços de alimentos, sobretudo nas cidades maiores. A pequena agricultura das colônias poderia aumentar a oferta de gêneros contribuindo para a queda dos preços. Essa intenção ficou clara nos anos setenta e oitenta, em São Paulo, então uma cidade cuja principal função era o comércio do café e o comércio das mercadorias necessitadas pelas fazendas. Por meio da colonização oficial buscou-se incrementar a produção de alimentos para consumo interno. No entanto, os fazendeiros manifestaram-se contrários a tal plano, pois entendiam que eram as grandes fazendas de café que necessitavam de trabalhadores e não a pequena produção de alimentos. Quando, em 1877, o governo decidiu assentar centenas de imigrantes italianos em quatro núcleos coloniais nos arredores da cidade de São Paulo, fortes críticas foram feitas a essa decisão. Nesse caso, o Estado envolveu-se profundamente na questão, pagando a viagem dos imigrantes sob a condição de que se estabeleceriam nos núcleos oficiais previamente designados. O imigrante, por sua vez, obrigava-se a comprar um lote de terras, para pagar dentro de certo tempo. Além disso, durante os primeiros

---

12. Thomas Davatz, *Memórias de um Colono no Brasil (1850)*, trad., intrcdução e notas de Sérgio Buarque de Holanda, Livraria Martins, São Paulo, 1941.

dois anos ele seria subsidiado para manter a si próprio e a sua família e para desenvolver a agricultura no seu lote [13].

Os fazendeiros, no entanto, entendiam que os núcleos oficiais deveriam ser organizados nas proximidades das grandes propriedades para permitir a transformação dos imigrantes em trabalhadores de tempo parcial nas fazendas de café. A crítica maior contra o Estado era a de que, subsidiando e ajudando os imigrantes, não estava incrementando neles o espírito de trabalho. Nesse caso, os imigrantes não estariam sendo devidamente estimulados para o trabalho nas grandes fazendas. O tipo de colonização preconizado pelos fazendeiros de fato reduziria os imigrantes a um estado de necessidade permanente, de pobreza, de modo que não pudessem encontrar outro meio de vida senão o trabalho para terceiros. Transformar-se num pequeno agricultor deveria ser uma ambição para o imigrante, mas não uma realidade fácil.

Os imigrantes trazidos em 1877 foram, de fato, localizados em terras pouco apropriadas para a agricultura, desprezadas pela economia de exportação, como a do café. Elas não eram nem mesmo boas para a pequena agricultura, pois haviam sido impropriamente utilizadas durante três séculos. Isso não constituía resultado de um engano técnico, pois correspondia ao que de fato esperavam os fazendeiros: as terras más forçariam os imigrantes a se tornarem trabalhadores de tempo parcial na grande lavoura. Aconteceu, entretanto, que os núcleos coloniais oficiais foram localizados muito longe das grandes fazendas e isso frustrou aquelas ambições. Logo depois o governo fez cessar qualquer tipo de ajuda àqueles núcleos, declarando-os emancipados quando ainda não tinham condições para tanto. De fato, porém, o que comprometeu em definitivo as tentativas de colonização oficial, como política voltada para a disseminação da pequena propriedade, foi o regime de trabalho que passou a desenvolver-se no interior da grande lavoura. Tal regime constituiu-se na fórmula final que os grandes fazendeiros descobriram para substituir os escravos por trabalhadores livres. Esse regime ficou conhecido como *colonato.* Seu nome deriva dos primeiros planos para substituir os escravos através de programas de colonização. A partir daquele primeiro momento os imigrantes passaram a ser conhecidos como *colonos,* sendo essa palavra tomada como equivalente de trabalhador. Entretanto, no novo regime de trabalho, o colono não era realmente uma pessoa envolvida em planos de colonização, mas a pessoa que trabalha para o fazendeiro e que vive na *colônia* da fazenda — um grupo de casas onde eram estabelecidos os imigrantes (em muitos casos tais residências haviam sido senzalas de escravos).

---

13. José de Souza Martins, ob. cit.

Através do regime de colonato os fazendeiros foram liberados das despesas com a viagem dos imigrantes do país de origem até as fazendas. Essas despesas passaram a ser pagas pelo próprio Estado, por meio da imigração subvencionada. Como o Estado já vinha mantendo uma política de imigração subvencionada para os núcleos de colonização oficial, a ampliação dessa política envolveu-o diretamente na formação da força de trabalho para a agricultura cafeeira à custa de todo o país. O Estado apenas reorientou as correntes migratórias em direção à grande lavoura, sem que, aparentemente, tivesse ocorrido uma grande transformação na sua política imigratória. Essa transformação foi, entretanto, radical e é um dos indícios mais seguros da consolidação da hegemonia política das classes vinculadas ao café, particularmente em São Paulo. Quando os imigrantes chegavam ao país, eram conduzidos à Hospedaria de Imigrantes em São Paulo; alguns dias depois eram enviados às estações ferroviárias do interior, nos lugares em que já se sabia de antemão que os fazendeiros precisavam de mão-de-obra. Nas estações, os fazendeiros ou os administradores de suas fazendas faziam a escolha dos trabalhadores que lhes interessavam e os conduziam às colônias de suas fazendas.

A mediação do Estado, inicialmente através das finanças provinciais e, depois, das nacionais, subsidiando a imigração, de fato socializou a formação da força de trabalho para a grande lavoura. Somente assim, com os recursos públicos, foi possível superar o problema da colonização privada e da modalidade de cativeiro que ela engendrava, como mostrei antes. O conjunto da sociedade passou a pagar para que se produzisse um regime de trabalho livre adaptado às condições específicas da economia colonial no Brasil. Foi somente assim que se tornou possível finalmente, efetivar e institucionalizar a separação entre o trabalhador e a sua força de trabalho.

No regime de colonato, o colono e sua família eram contratados numa espécie de trabalho por tarefa, denominado *empreitada*. Um determinado número de cafeeiros era atribuído aos cuidados da família. Geralmente, o cafezal já havia sido plantado. Então, o colono e sua família incumbiam-se de manter limpas as ruas do cafezal, removendo as ervas daninhas e, na época adequada, preparando o lugar sob cada planta para a derriça das cerejas. As plantações de café necessitavam de um número variável de limpas, geralmente entre 5 e 6 por ano. Como os fazendeiros, visando a atrair os imigrantes, decidiram conceder-lhes o direito de utilizar terras para as culturas de subsistência, o regime de colonato incluiu, particularmente nas áreas novas, a permissão para o cultivo de milho e feijão entre as leiras de café. O ciclo dessas plantas, nesse regime,

126

está articulado com o próprio ciclo de trato do café, tornando possível a realização simultânea de diferentes serviços. Por exemplo, quando se está efetuando uma das limpas do cafezal, pode ser a época certa para o plantio de milho ou de feijão. Em outra limpa pode ocorrer o momento de chegar terra às plantas de subsistência etc. Essa combinação racional de diferentes ciclos agrícolas como um único conjunto técnico de trabalho, como um único processo de trabalho, foi organizado e mantido durante quase cem anos. Apenas nos últimos 20 anos aproximadamente, é que tal regime entrou em decadência.

As vezes o colono tinha que dividir a sua colheita de milho e feijão com o fazendeiro. Às vezes, não. Geralmente, ele e sua família consumiam uma parte dos gêneros colhidos, vendendo o excedente previsível. Além disso, recebia uma quantia em dinheiro correspondente a um número determinado de cafeeiros sob seu cuidado, mais uma importância variável relativa à produtividade do cafezal em cada ano. O acordo incluia moradia, água, lenha e pasto para um ou dois animais. Em conseqüência, de modo algum pode o colonato ser definido como um regime de trabalho assalariado, como vem sendo feito por alguns autores. O seu advento caracteriza a transição para o *trabalho livre,* mas não necessariamente para o *trabalho assalariado,* ao menos para o trabalho caracteristicamente assalariado. O regime de colonato combinou diferentes modalidades de relações de trabalho, constituindo-se num regime singular. O colonato combinou a produção da mercadoria de exportação (o café) e a produção direta dos meios de vida necessários à reprodução do próprio trabalhador e sua família. Entretanto, é enganoso supor, como fazem algumas pessoas, que essa produção possa ser caracterizada como simples produção para subsistência. Tratava-se do que denominei, em relação a outras situações, de uma economia do excedente, em que o excesso relativamente ao consumo não é mero resto do que foi consumido, mas excedente previsível já no plantio, comercializado em geral logo após a colheita, antes de completado o ciclo de subsistência da família trabalhadora. Tal excedente expressa, na verdade, a alta produtividade do trabalho agrícola, mesmo em situações que especialistas prefiram caracterizar, tecnicamente, como "tradicionais" e pouco avançadas. Essa foi a razão pela qual quando a crise se tornou mais aguda (em 1929 e durante os anos 30) os fazendeiros foram mais afetados do que os colonos. Os primeiros tinham a sua vida econômica baseada estritamente no lucro do capital e na renda fundiária. Para os segundos, no entanto, o salário não era a única base da existência, pois tinham a sua sobrevivência, a sua reprodução, assegurada pela agricultura intercalar e ainda dispunham muitas vezes, de recursos acumulados provenientes dessa agricultura de excedentes e da empreitada. Se tais trabalhadores fossem simples ou estritamente assalariados, como por engano teórico se pretende, a crise teria efeitos desastrosos sobre eles, como teve sobre muitos fazendeiros. Entretanto, esse é justamente o período de expansão da fronteira agrícola e de grandes especulações imobiliárias alimentadas com as compras de terras novas por antigos colonos de café.

Precisamente os gêneros produzidos nas fazendas de café, entre as leiras do cafezal, diretamente pelos colonos, obstruíram o desenvolvimento da pequena agricultura nos núcleos de colonização oficial. Em ambas as situações, milho e feijão constituíam a cultura principal, pelo menos porque esses dois gêneros eram importantes itens da dieta brasileira, urbana e rural. Entretanto, nas terras antigas e cansadas dos núcleos oficiais a produtividade era mais baixa do que nas fazendas. De fato, a produção dos núcleos não teve a vantagem de uma divisão do trabalho agrícola, tal como acontecia especificamente com o café, que é seletivo em relação a clima e solo. Enquanto o café, nessa época, buscava as terras melhores, o milho e o feijão eram cultivados em qualquer terreno, adequado ou não. Entretanto, para agravar o problema, nas terras ruins dos núcleos coloniais, a agricultura de alimentos tinha que produzir um lucro ou uma renda, não só porque a terra deveria ser paga, mas porque havia itens de consumo dos colonos que precisavam ser adquiridos no mercado (tais aquisições, para os colonos de café, eram garantidas pelos ganhos monetários provenientes da empreitada e da colheita). Por isso mesmo, os colonos da fazenda de café podiam vender os seus excedentes por qualquer preço, pois não dependiam do mercado de gêneros para garantir a sua sobrevivência. O excedente de milho e feijão não era produzido segundo cálculos de custo, como ocorria necessariamente com a mercadoria café, porque esses gêneros não eram produzidos como mercadorias. A condição de mercadoria era assumida no mercado, havendo demanda para elas. Em conseqüência, os setores baseados na produção de gêneros de subsistência (e não de artigos coloniais ou de exportação), como ocorria com os núcleos coloniais, não tiveram condições para suportar a competição e entraram em decadência. Em alguns casos, houve tentativa de produzir coisas que não podiam ser cultivadas nas ruas dos cafezais, como uva para vinhos. Entretanto, o principal mercado interno para produtos não coloniais, cuja técnica de produção os colonos de origem européia dominavam, que era o mercado constituído pelas ricas famílias de fazendeiros e comerciantes, preferia importar esses produtos diretamente da Europa. Efetivamente, o regime de colonato esteve na essência da vida econômica, sobretudo do Sudeste, por quase cem anos, tendo afetado e envolvido outros setores de produção, que não exclusivamente o café, como a indústria [14].

Em suma, grandes dificuldades foram colocadas no caminho daqueles que buscaram na imigração tornar-se agricultores independentes. Na prática, descobriram que, para chegar a tanto, teriam que se transformar previamente em colonos das grandes fazendas. O trabalho independente foi, nesse processo, transformado num sonho básico do trabalhador.

3. *A produção ideológica da noção de trabalho*

Na verdade, o regime de colonato consagrou uma premissa que era a principal idéia e a principal necessidade do fazendeiro: o colono deveria ser primeiramente um trabalhador da fazenda para tornar-se independente somente após um certo período de trabalho para terceiros; o seu trajeto seria de empregado, primeiro, e de autônomo ou, até, patrão depois. Alguns autores que trabalham numa perspectiva meramente culturalista preferem encarar essa proposta como um elemento da tradição cultural do imigrante italiano, o que expressa apenas a eficácia da ideologia da classe dominante. Mesmo onde tal aspiração já existia, na sociedade de origem, ela foi mobilizada pela burguesia cafeeira, propositalmente, e acoplada aos meios que a própria economia do café definiu como legítimos para efetivá-la. De fato, aliás, os fazendeiros de café, quando expressaram seu ponto de vista a respeito, sempre estiveram alarmados com a mobilidade ocupacional de seus colonos, mesmo de uma fazenda para outra.

A autonomia do trabalhador, preconizada no que tenho chamado de ideologia do trabalho, embora fosse ideologicamente mobilizada e difundida pelos setores mais conspícuos da burguesia cafeeira, era sabotada na prática. Tal autonomia representaria um problema para a reprodução do regime de colonato. Sobre ela teria precedência a reprodução do capital na perspectiva do burguês. Autonomia do trabalhador e reprodução ampliada do capital passaram por uma combinação ideológica contraditória, atendendo a hegemonia dos interesses burgueses, que responde por uma das bases conservadoras do pensamento da classe operária.

É importante observar que o caminho percorrido para chegar a esse objetivo está fortemente marcado por uma concepção pré-capitalista ou camponesa de trabalho autônomo. Entretanto, tal forma pré-capitalista é proposta como objetivo através da exploração do trabalho sob regras capitalistas, vinculadas à reprodução do capital.

---

14. José de Souza Martins, *Capitalismo e Tradicionalismo*, Livraria Pioneira Editora, São Paulo, 1975.

Essa via foi possível porque o regime de colonato tornou-se uma complexa combinação de formas não-capitalistas e capitalistas. A *mesma* relação entre o colono e o fazendeiro envolvia elementos não-capitalistas (a produção direta dos meios de vida) e elementos capitalistas (a produção da mercadoria para exportação sob pagamento de salário). Porém, o conjunto do colonato era determinado pela reprodução capitalista do capital, pois a definição concreta das relações de produção não pode ser encontrada estritamente na forma das relações de trabalho, mas nos seus antagonismos, vinculações e determinações.

Tal conciliação produziu o que se pode chamar de ideologia da mobilidade através do trabalho (consagrada até mesmo em alguns estudos de sociologia do trabalho feitos no Brasil). Nesse caso, admite-se como legítima a idéia de que um estilo de vida prévio ao advento do modo de produção caracteristicamente capitalista poderia ser um bom objetivo para o capitalismo (na verdade, a restauração do mundo da *ordem,* a supressão das tensões de classe). Esse ponto de conciliação ideológica foi alcançado imediatamente antes da abolição da escravatura e constituiu a base para o que foi definido como "a grande imigração", entre 1886/1888. Nas palavras de um conspícuo representante dos fazendeiros, os imigrantes deveriam ser "morigerados, sóbrios e laboriosos". Assim poderiam, através do trabalho árduo, obter os recursos para comprar a terra necessária ao seu trabalho autônomo. A idéia é a de que os imigrantes deveriam cultivar as principais virtudes consagradas na ética capitalista. Nesse caso, o trabalho árduo e os sofrimentos dos primeiros tempos seriam compensados pelo acesso à pequena agricultura familiar mais tarde. Os núcleos coloniais oficiais, de fato em decadência, chegaram a ser utilizados, nessa fase, como prova que legitimava tal aspiração.

Essas idéias sustentaram uma política de seleção de imigrantes. Famílias tiveram preferência em relação a imigrantes solteiros. Além disso, os italianos eram preferidos em relação aos trabalhadores de outras nacionalidades. Os alemães sofreram fortes objeções porque preferiam de imediato o trabalho autônomo; os portugueses eram rejeitados porque preferiam trabalhar no pequeno comércio. A predominância de italianos nas correntes migratórias para o Brasil não pode ser absolutamente explicada sem a mediação das necessidades de reprodução do capital na grande fazenda de café. O italiano submisso, proveniente das áreas em que a economia ainda estava baseada em relações pré-capitalistas, preenchia uma condição essencial à reprodução capitalista numa economia, como a cafeeira, que continuava a mesma apesar da abolição legal da escravatura.

Por isso, um ponto precisa ser esclarecido. É crença comum a muitos pesquisadores que a principal corrente de imigrantes italianos procedia das regiões industrializadas da Itália (havendo quem, por isso, fale até na superioridade técnica do trabalhador italiano), pois o principal contingente de operários nas origens da industrialização brasileira era italiano. Muitos desses autores fazem tal inferência a partir da superficial constatação de que tais imigrantes procediam do norte. Logo, como o norte era a região italiana mais industrializada, os imigrantes que vieram para o Brasil teriam experimentado antes uma militante existência nas regiões fabris de seu país. Tal suposição, entretanto, não é correta. Foerster e Sereni [15] observam que no porto de Nápoles as pessoas eram necessariamente embarcadas para os Estados Unidos da América e no de Gênova elas eram necessariamente embarcadas para o Brasil ou para a Argentina. Entretanto, os dados estatísticos mostram que, do Norte, o Vêneto era a região de onde procedia a maioria. Logo, não vinham do norte industrializado. O Vêneto era tão pobre e subdesenvolvido como o sul. Por isso, é pelo menos curioso que o mais famoso imigrante italiano, que aqui se tornaria grande industrial, o conde Matarazzo, não veio afinal do norte industrializado, mas de Salerno, no sul agrícola. Tal fato deveria servir para relativizar as interpretações culturalistas.

Do mesmo modo, as origens da ideologia da mobilidade pelo trabalho não correspondem a idéias comuns a vários cientistas sociais. Algumas pessoas crêem que ela é essencialmente produzida pelo próprio imigrante. As minhas pesquisas, no entanto, mostram que ela foi produzida *pela* burguesia *para* o trabalhador imigrante. A burguesia agrária estabeleceu as condições e vias para receber e assimilar o imigrante. Este não teve, em princípio, outro caminho senão se conformar a essas condições. Em outras palavras, sua assimilação consistiu em orientar suas aspirações para os canais institucionais definidos pela classe dominante de modo que, ainda que com alguma tensão e descaracterização, ele acabasse se concebendo de acordo com as necessidades históricas daquela classe.

Mas, essa não era, realmente, como já disse, uma ideologia de mobilidade social. Ela consistia numa ideologia que legitimava a um só tempo a concepção camponesa da vida e a exploração burguesa do trabalho. É preciso não esquecer que antes de deixar o seu país de origem, o imigrante tinha, em princípio, a possibilidade de optar por tornar-se um verdadeiro trabalhador assalariado nas plantações de trigo da Argentina. O Brasil, porém, não tinha condições de oferecer-lhe um verdadeiro regime de trabalho assalariado. É conveniente lembrar que a crise do regime escravista foi produzida essencialmente fora da sociedade brasileira e fora da economia do

---

15. Robert F. Foerster, *The Italian Emigration of Our Times*, Russel & Russel, New York, 1968; Emilio Sereni, *Il Capitalismo nelle Campagne*, Piccola Biblioteca Einaudi, 2ª ed., Torino, 1968.

café. O advento do trabalho livre teve que ocorrer como meio para preservar (e não para mudar) a economia colonial (como observou M. Hall). Isto é, teria que ocorrer como meio para preservar a produção tropical baseada em alguma modalidade de trabalho compulsório e não caracteristicamente baseada no pagamento de salários. Isso significa que a combinação da produção da mercadoria e da produção direta dos meios de vida, na economia do café, constituía uma combinação necessária e contraditória. Sem uma é impossível entender e explicar outra; sem a segunda é impossível realizar a primeira. Em conseqüência, isto é, o que importa no que tem de repercussão ideológica, a reprodução da força de trabalho não era plena e exclusivamente mediada pelo comércio de mercadorias. Assim, o imigrante aparentemente não trabalhava apenas para os outros, mas também para si mesmo.

O imigrante encontrou, desde o começo da sua vida no novo país, condições de trabalho que convergiam para o seu desejo de preservar um estilo camponês de vida, embora não completamente autônomo. A sua autonomia permaneceu fundamentalmente como um forte desejo, como um sonho político, como uma virtualidade da sua situação concretamente ambígua. Esse alcançou uma forte possibilidade de realização com a crise de 1929. Como observam Milliet e Prado [16], a crise acentuou a proliferação de pequenas propriedades, não só pela divisão das grandes fazendas em sítios menores (pois, com a crise a terra perdeu, ainda que apenas por algum tempo, quase todo o seu "valor") vendidos aos antigos colonos, como o avanço sobre as novas terras da fronteira agrícola foi conduzido pelos especuladores imobiliários de forma a atender uma aguda demanda de pequenas propriedades agrícolas que já vinha dos anos vinte. De um lado, os colonos puderam efetivar a sua ânsia pela terra investindo as economias penosamente feitas no colonato. De outro lado, muitos fazendeiros descobriram que poderiam transformar suas terras, quase destituídas de preço após a crise, em capital que poderia ser aplicado em outros setores da economia.

A crise da economia cafeeira e a proliferação da pequena propriedade deu uma inesperada e nova vida à autonomia suposta na ideologia da mobilidade pelo trabalho. Mais tarde, durante os anos cinqüenta, a proliferação de pequenas indústrias, trouxe um novo suporte para essa concepção. Esses são dois momentos importantes para entendermos a forte aspiração pelo trabalho autônomo ainda hoje entre amplos contingentes do operariado brasileiro, pois essa idéia é de revitalização muito recente.

16. Sérgio Milliet, *Roteiro do Café e Outros Ensaios*, 3ª edição, Coleção Departamento de Cultura, São Paulo, 1941; Caio Prado Júnior, *Evolução Política do Brasil e Outros Estudos*, Editora Brasiliense, São Paulo, 1957.

Essa autonomia é uma espécie de pedra fundamental da ideologia do trabalho, sobretudo porque ela encobre e obscurece o conteúdo principal da relação entre o patrão e o empregado. Por meio dela, o trabalho não é considerado *principalmente* como uma atividade que enriquece a burguesia. Ao contrário, o trabalho é considerado como uma atividade que cria a riqueza e, ao mesmo tempo, pode liberar o trabalhador da tutela do patrão. O trabalhador é sempre considerado um patrão potencial de si mesmo, sobretudo porque a condição de patrão é essencialmente concebida como produto do trabalho árduo e das privações materiais do próprio patrão, quando era trabalhador, regulados por uma espécie de prática ascética. A riqueza, no sentido de capital acumulado, torna-se aceitável e legítima porque é produto do trabalho e porque o trabalho é concebido como uma "virtude" universal. A capacidade de criar riqueza através do trabalho é concebida como uma virtude *socializada,* sem distinção de classes, que abre acesso ao capital e ao capitalismo a todo homem que trabalha.

Entretanto, este é o ponto crucial do problema, *o capital (a riqueza) não é visto nem concebido como produto do trabalho de outros,* isto é, como produto do trabalho do operário despojado dos meios de produção, do confronto e do antagonismo entre o capital e o trabalho, personificados no burguês e no proletário. Ao contrário, *o capital é concebido como produto do trabalho do próprio burguês.* É exatamente essa concepção que está na raiz do mais importante mito no corpo da ideologia do trabalho no Brasil: a biografia popular do conde Matarazzo, um milionário de grande sucesso, que veio da Itália no século passado e morreu em 1938. As pessoas acreditam, sem fundamento, que ele nada tinha quando chegou ao Brasil. Todavia, teria enriquecido através do seu próprio trabalho pesado e sofrido.

Esse deslocamento da idéia de que a riqueza não é produto do trabalho explorado do trabalhador, mas resulta do trabalho e das privações do próprio burguês, na *origem* do seu capital, consagra e justifica para o trabalhador a sua exploração por outra classe. Em outras palavras, essa concepção legitima a exploração do proletariado pela burguesia, constituindo-se numa espécie de redenção original do capitalismo.

A autonomia suposta na ideologia do trabalho sofrido, porém, não tem unicamente os componentes burgueses que poderíamos supor por sua similaridade com a ética capitalista. Na medida em que a exploração burguesa é ocultada pela ênfase nas virtudes do trabalho do burguês como base da riqueza, temos, em decorrência, que a solidariedade é considerada mais importante do que a exploração. A concepção é a de que as pessoas que *trabalham* estão naturalmente unidas entre si *porque* trabalham. Nesse caso, o burguês tem que ser solidário com as aspirações do trabalhador. A mim me parece que essa idéia é um ponto importante para o entendimento do paternalismo burguês, do populismo, dos princípios da "paz social" e do corporativismo que marcam as relações de classe no Brasil. Tal solidariedade enfatiza antes o que é comum a pessoas vinculadas a classes sociais diferentes e opostas, obscurecendo o que é comum e característico a cada classe. Na verdade, há uma comunidade utópica suposta na ideologia do trabalho, cuja quebra, em geral por parte da burguesia, compromete a dominação que daí decorre. Ela, no entanto, está essencialmente em tensão contra a concepção estritamente burguesa de que é necessário trabalhar pelo trabalho. Enquanto para o burguês o trabalho é meio e fim, para o proletário subjugado pelas concepções burguesas o trabalho é apenas meio. O trabalhador, no contexto aqui analisado, concebe o trabalho como o veículo da libertação, não só como meio de exploração. A liberação do trabalhador seria, assim, um resultado necessário do trabalho penoso. A essência dessa idéia é a de que só o trabalho redime. Populismo, paz social, corporativismo, são provavelmente resultados da produção ideológica da concepção de trabalho. Todavia, a acomodação entre classes antagônicas, aí suposta, está negada na própria base. Muito além da ênfase no trabalho pelo trabalho, que poderia basear um ponto de vista burguês, na essência da concepção do trabalhador o trabalho é admitido como veículo de libertação, como meio para destruir a exploração baseada no trabalho. Ou seja, o homem se torna livre quando trabalha para si mesmo. Daí nasce a dimensão ambígua da ideologia do trabalho. Incorporado à produção capitalista, sobretudo na indústria, e vinculado, pois, irremediavelmente ao trabalho socializado pelo capital, o trabalhador consegue entender que no trabalho está o segredo da sua liberdade. Entretanto, a sua concepção de trabalho está em grave tensão com a realidade do trabalho socializado. Espera, por isso, escapar da sujeição do capitalismo movendo-se para trás, em direção a uma concepção camponesa de trabalho que se efetivaria no trabalho independente — na agricultura familiar, no artesanato urbano ou no pequeno comércio.

Essa forma ambígua de conceber a condição e a superação da condição operária está fortemente marcada pelas origens recentes da classe operária no Brasil, pelas suas raízes na crise do campesinato e do trabalho escravo. Decifrar essa ambigüidade pode ser um passo importante para o entendimento dos avanços e recuos da classe operária brasileira desde o fim do século passado até hoje.

Túmulo de imigrante italiano no
Cemitério do Araçá (SP), concebido por
ele próprio antes do falecimento: configuração
objetiva da ideologia de valorização do trabalho.
(Fotos: J. S. Martins)

As raízes camponesas na terra de origem

O começo: jornaleiro

O fim: comerciante de cereais

III

A MORTE DO BURGUÊS MÍTICO*

O falecimento do Conde Francisco Matarazzo Júnior (Conde Chiquinho), no domingo, dia 27 de março de 1977, em seu palacete da Av. Paulista (em São Paulo), última residência burguesa de uma via pública tomada hoje por altos edifícios de escritórios dos grandes grupos econômicos, põe a pá de cal sobre o mito da ascensão pelo trabalho.

O falecido conde chegou ao topo do império econômico fundado por seu pai, imigrante italiano chegado ao Brasil em 1881, quando do falecimento deste último em 1937. Ele, na verdade, não nasceu predestinado à posição que finalmente veio a ocupar. Seu pai tinha uma concepção nada burguesa sobre a empresa capitalista. Em conseqüência, até o fim da vida dirigiu os seus negócios de forma autoritária e pessoal, o que o levava a visitar as suas fábricas diariamente, com o objetivo de controlar as decisões dos seus auxiliares, especialmente gerentes e administradores. Por isso mesmo, até o fim da vida não abriu mão do seu poder de controle do império econômico. Somente em 1934, aos 80 anos, é que decidiu transferir parcela das responsabilidades ao filho que escolhera, na sua imensa prole, para substituí-lo. O escolhido foi o Conde Chiquinho que, durante os últimos quarenta anos, dividiu-se entre preservar o estilo empresarial anacrônico do pai (na verdade, um estilo de pequena empresa e, em conseqüência, levar o império econômico ao desastre) e admitir uma diminuição no seu poder pessoal em favor de uma gerência compartilhada e moderna.

O Conde Chiquinho, porém, chegou à direção dos negócios de seu pai em conseqüência de um acidente. O predestinado à sucessão era seu irmão Ermelino, que viria a falecer num desastre

---

* Uma versão ligeiramente diferente deste trabalho foi publicada no jornal *Movimento*, nº 92, 4 de abril de 1977, pp. 11 e 14.

143

automobilístico na Itália, nos anos vinte. Ermelino estava muito mais próximo do velho conde, porque imigrara da Itália com o pai, acompanhara-o nos primeiros anos de construção do império econômico. Já o Conde Chiquinho nascera quando seu pai havia se transformado num grande empresário, já residente no palácio que mandara erguer na Av. Paulista, local que a burguesia de então escolhera para construir o seu bairro residencial, depois de saturado o espaço do pretensioso bairro dos Campos Elísios. O Conde Chiquinho viu a luz no ambiente das pretensões aristocráticas de seu pai. De fato, o velho conde viveu sempre o tormento de uma divisão ideológica, que jamais conseguiu compreender, entre conceber-se como o burguês que conquistara a sua posição pelo trabalho árduo e pela privação constante ou conceber-se como o aristocrata, cujas origens nobres recuariam (segundo os seus corifeus intelectuais) até os remotos tempos de Carlos Magno; que se tornava cada vez mais rico porque esse era o resultado necessário da sua condição estamental [1].

Nessa altura, já o velho conde estava empenhado não apenas em ficar cada vez mais rico, mas também em ficar cada vez mais nobre. No Brasil, na era dos coronéis do sertão, chegou a ser chamado de coronel. Mas, não era isso que ele queria. O seu universo de referência foi, até o fim da vida, a Itália, sua hierarquia social. Os sociólogos encamparam muitas afirmações de literatura teatral dos quatrocentões sobre as tentativas de ascensão social e de reconhecimento feitas por essa burguesia imigrante. Confundiram-se, porém, ao imaginar que a pretensão do reconhecimento estamental voltava-se para o casamento no interior das famílias dos antigos barões do café. Na verdade, isso não aconteceu na escala suposta. Em particular, entre os Matarazzo mais antigos isso não foi verdadeiro. O velho conde estava interessado, isso sim, em vincular seus filhos a antigas famílias italianas. E isso ele conseguiu.

Depois de ser "cavaliere ufficiale" (cav. uff.), título que adornou os nomes de muitos burgueses imigrantes do começo do século, mediante concessões do governo italiano, que assim agia para preservar a lealdade dos seus súditos ricos, cujas remessas em dinheiro constituíam importante fonte de receita, Matarazzo finalmente tornou-se conde. Em reconhecimento pelo muito dinheiro com que ajudou o governo de seu país no período da primeira guerra mundial, o rei decidiu oferecer-lhe o título. Mas, o seu filho, o Conde Chiquinho, só veio a ser conde em conseqüência de uma decisão de Mussolini, em 1926, que transformou o título originalmente concedido pelo rei, em caráter individual, num título hereditário.

---

1. Cf. José de Souza Martins, *Conde Matarazzo — o empresário e a empresa*, Hucitec, São Paulo, 1976, cap. II.

Para isso muito contribuiu a adesão de Matarazzo ao fascismo. Do "Duce" ele recebeu várias gentilezas — além de recebê-lo pessoalmente por mais de uma vez, tinha-o na conta de um embaixador informal no Brasil. Por isso e pelos recursos que empregou na formação da juventude fascista italiana, o velho conde recebeu a Tessera d'Onore Fascista, além da Medaglia d'Oro di Benemerenza dell'Opera Nazionale Balila. Não por menos é que, quando da sua morte, em 1937, obedeceu-se ao pé do túmulo um elaborado ritual fascista.

Justamente as pretensões aristocráticas do pai, que tem muito a ver com o seu populismo fascista, fizeram do filho uma espécie de intocável de ouro — um homem afastado da realidade, das aspirações e do pensamento dos seus 22 mil operários, já para não dizer de toda a classe operária. Enquanto o velho conde viveu dividido entre o reconhecimento popular do burguês que se teria feito pelo trabalho sofrido, de um lado, e o reconhecimento elitista da sua nobreza de sangue, o filho viveu apenas a condição do aristocrata.

Com isso, sem o saber, personificou a decadência do mais importante mito de sustentação da exploração da classe operária. É essa morte que importa discutir nesta oportunidade: a deterioração histórica do mito da ascensão social pelo trabalho árduo e pela privação sistemática. Entre o conde real e o conde mítico, o mais importante é desvendar este último, isto é, desvendar os mecanismos ideológicos de sustentação da dominação de classe. Mesmo porque, sem a referência ao Matarazzo mítico é praticamente impossível entender o pensamento e a ação da classe operária em São Paulo, os freios conservadores à sua prática transformadora.

1. *A proletarização das aspirações burguesas*

Quando, no século passado, ficou claro que a vigência do trabalho escravo estava chegando ao fim, a burguesia agrária, em particular os fazendeiros de café, não se inquietou apenas com a necessidade urgente de substituição do trabalhador cativo pelo trabalhador livre. A sua principal inquietação foi com a forma que deveria assumir a preservação da dominação burguesa [2]. De fato, como mostrou Marx, na sua discussão sobre o processo de valorização, o importante não é apenas a extração da mais-valia, mas também o mecanismo ideológico que faz com que o crescimento da riqueza seja concebido por empresários e trabalhadores como produto da própria riqueza. No regime do trabalho escravo, o trabalhador não

---

2. Cf. José de Souza Martins, *A imigração e a crise do Brasil agrário*, Pioneira, São Paulo, 1973, esp. cap. I

precisava de outra justificativa para trabalhar além do cativeiro. A sujeição do cativo ao capital era principalmente física, através de instrumentos e procedimentos físicos de violência. A sujeição do trabalhador livre, ao contrário, é principalmente ideológica. No regime escravista, o problema de justificar ideologicamente a coerção física e a exploração que, por meio dela, se fazia, era rebatido para a desigualdade de origem de brancos e negros. É conhecido hoje o uso que então se fazia da história de Abel e Caim para justificar essa desigualdade: os brancos seriam filhos de Abel e os negros seriam filhos de Caim, razão porque estes últimos estavam condenados ao cativeiro — para purgar o crime original [3].

O advento do trabalho livre, no entanto, separou a pessoa do trabalhador da sua capacidade de trabalho, da sua força de trabalho. Os mecanismos ideológicos que legitimavam a sujeição da pessoa e a desigualdade de que ela provinha perderam a sua eficácia. A sujeição da pessoa foi substituída pela sujeição do trabalho ao capital. Logo, o mito anterior da desigualdade de origem entre as pessoas já não servia para justificar e legitimar as novas relações, baseadas na compra e venda da força de trabalho. Através destas últimas instituia-se a igualdade formal entre o burguês e o operário. Como, então, sendo eles formalmente iguais, um ficava cada vez mais rico e o outro não? Essa é a indagação oculta que norteia todo o debate sobre a Abolição. Como fazer com que o novo trabalhador (isto é, o trabalhador produzido pela nova modalidade de sujeição ao capital) aceitasse, sob o pretexto da igualdade jurídica, a realidade da desigualdade econômica?

O primeiro passo foi reconhecer abertamente aquilo que todo trabalhador livre sabe, ao menos por intuição: o trabalho é a fonte da riqueza. Mas, esse reconhecimento não ajudava em nada na legitimação e justificação da exploração do trabalho. Esse reconhecimento, na verdade, abria caminho para que o trabalhador decidisse trabalhar para si mesmo, ocupando a ampla faixa de terras livres que o país então possuía. Para evitar que isso ocorresse, já em 1850, quando cessa quase completamente o tráfico negreiro (dificultando o abastecimento das fazendas com mão-de-obra escrava), a mesma burguesia agrária obtém a aprovação de uma lei, a Lei n.º 601, conhecida como Lei de Terras, que impedia o acesso às terras devolutas por outro meio que não fosse a compra [4]. A Lei

---

3. Cf. Florestan Fernandes, *A integração do negro na sociedade de classes,* Dominus, São Paulo, 1965.
4. Cf. Maurício Vinhas de Queiroz, "Notas sobre o processo de modernização no Brasil", *Revista do Instituto de Ciências Sociais,* vol. 3, nº 1, Universidade Federal do Rio de Janeiro, janeiro-dezembro de 1966.

de Terras garantiu a mobilização das instituições jurídicas e policiais na defesa da propriedade fundiária, garantindo, ao mesmo tempo, o caráter compulsório do trabalho, da venda da força de trabalho ao fazendeiro por parte dos trabalhadores que não dispuzessem de outra riqueza senão a sua capacidade de trabalhar.

Ora, a "riqueza" da época é, principalmente, a terra neste país desprovido, então, de grandes capitais. A Lei de Terras consagrava aquilo que não existia plenamente: a terra como equivalente de capital, como renda territorial capitalizada. Ao mesmo tempo, torna-se explícito, enfatizado e socialmente reconhecido que o trabalho é o fundamento da riqueza, que o trabalho é a virtude essencial do trabalhador. Para se ter acesso à propriedade, isto é, à riqueza, é preciso trabalhar e poupar. Já nos discursos de Antonio da Silva Prado, o burguês paulista que era ministro do império quando do encaminhamento da questão abolicionista, essa idéia adquire os seus contornos definitivos para daí passar a fundamento da política trabalhista do Estado. Já dizia ele que o Brasil precisava de um trabalhador livre que fosse morigerado, sóbrio e laborioso. Ao que acrescentava outro fazendeiro paulista que o trabalhador com essas características podia ser mais facilmente encontrado entre imigrantes italianos [5].

O caminho da implantação do trabalho livre passou, pois, pela idéia de que é preciso trabalhar para enriquecer. Ao mesmo tempo, as circunstâncias históricas definiram esse percurso: o trabalhador não tem como trabalhar para si mesmo, pois a terra é monopolizada conjuntamente pelos proprietários e pelo Estado. Por isso, ele precisa trabalhar para um terceiro, um fazendeiro, um patrão — aquele que está necessitado da sua força de trabalho. A idéia-chave passa a ser esta: o burguês precisa da força de trabalho do trabalhador para enriquecer e o trabalhador precisa do emprego do burguês para ganhar dinheiro e comprar a terra que representará o seu enriquecimento. Esse enriquecimento do trabalhador resultaria, pois, não somente do esforço para ganhar, mas também do esforço para não gastar. A riqueza não frutificaria do trabalho que se acrescenta à riqueza já criada, à riqueza que sujeita o trabalho, mas sim da ética que associa trabalho e privação. A vida penosa e sofrida resultante dessa sujeição, resultante da exploração do trabalhador, legitima-se, pois, na concepção do trabalho como condição do capital.

Já se disse, equivocadamente, que essa ética constituía uma característica cultural e psicológica do trabalhador imigrante, uma espécie de privilégio cultural, da qual não seria partidário o traba-

---

5. Paula Beiguelman, *A formação do povo no complexo cafeeiro: aspectos políticos*, Pioneira, São Paulo, 1968.

147

lhador brasileiro [6]. Na verdade, entretanto, essa é a versão proletária da ética burguesa, produzida pela própria burguesia. Aliás, ela chocava com as aspirações de trabalho independente do trabalhador imigrante. A ética do trabalho tem sido a camisa de força mediante a qual o trabalhador é levado a ver a sua libertação (isto é, o trabalho independente, o trabalho não subjugado diretamente pelo capital) na perspectiva do burguês.

O que a burguesia fez, portanto, foi "democratizar", isto é, traduzir em termos congruentes com a preservação da legitimidade da exploração do trabalho, a sua própria necessidade: a necessidade da reprodução crescente e incessante do capital.

2. O aburguesamento das aspirações operárias

É aí que nasce o mito Matarazzo, o burguês mítico por excelência (pois, houve em São Paulo outros burgueses que contribuiram para elaboração desse mito). De fato, desde o século passado, estabelecidas as grandes correntes migratórias de trabalhadores livres para o Brasil, a burguesia agrária empenhou-se em buscar evidências de que o trabalho e a privação com ele combinada levavam, efetivamente, ao enriquecimento do trabalhador. Muita literatura de propaganda foi produzida, especialmente para divulgação na Europa, nos centros de recrutamento de trabalhadores, para apresentar casos, provas e indicações de que o enriquecimento pelo trabalho não era apenas uma aspiração, uma idéia, mas um fato comprovado no Brasil de então.

A gênese e a expansão da indústria na área cafeeira abriram uma possibilidade mais ampla de comprovação da validade dessa concepção mítica do trabalho. O pequeno estabelecimento, mais artesanal do que industrial, operado por pessoas que estavam muito mais próximas da condição proletária do que da condição burguesa, veio com muita freqüência e durante muitos anos coroar as aspirações de ascensão e independência do trabalhador paulista. Aliás, a legislação trabalhista de Getúlio Vargas, instituindo a indenização por tempo de serviço para o trabalhador despedido sem justa causa, veio a acrescentar um reforço significativo a essa concepção do trabalho. Por esse meio, justamente no momento mais crítico da vida de um operário, que é o da dispensa do emprego, ele recebia um pecúlio que podia ser transformado em capital de um pequeno empreendimento comercial ou artesanal independente. Receber a indenização e ser "mandado embora" passou a ser um sonho de muitos operários. O momento crítico, que deveria expressar as

---

6. Cf. Leôncio Martins Rodrigues, *Conflito industrial e sindicalismo no Brasil*, Difusão Européia do Livro, São Paulo, 1966, p. 108.

tensões das relações de classe, passou, ao contrário, a se constituir num momento de júbilo e de adesão.

Os muitos imigrantes que enriqueceram a partir do final do século passado integraram-se na validação da idéia de que o trabalho e a privação enriquecem o trabalhador. Mas, um deles acabou sendo destacado como a prova absoluta de que a idéia era verdadeira. Foi o conde Francisco Matarazzo, o velho, o que viria a falecer em 1937. Um ingrediente fundamental para tanto foi a habilidade com que o velho conde tratou essa concepção. Sempre que se dirigia aos trabalhadores, enfatizava os dados da sua biografia que podiam ser tomados como indicação de que havia sido um imigrante pobre e sem recursos que enriquecera no Brasil graças ao trabalho árduo e à aspiração de independência. Quando, porém, se dirigia à própria burguesia procurava enfatizar os componentes da sua biografia que destacavam a sua origem fidalga. Em decorrência, difundiu-se entre os trabalhadores, durante mais de meio século, a concepção de que Matarazzo havia sido um imigrante muito pobre que, após trabalhar sofridamente nas fazendas de café, como colono, tornara-se vendedor ambulante, vivendo de pão e banana. Com isso conseguira guardar dinheiro, montar de início uma pequena fábrica de banha e, depois, outras indústrias, para finalmente tornar-se milionário, dono de muitas empresas, patrão de milhares de operários (que, em 1929, seria objeto de uma gigantesca demonstração de apreço por parte de 20.000 trabalhadores nas ruas de São Paulo). Numa pesquisa recente, em vários bairros da cidade de São Paulo, tive oportunidade de comprovar a amplitude desse mito, compartilhado até mesmo por trabalhadores oriundos de remotas regiões do Nordeste, que já o conheciam antes de migrarem.

A industrialização brasileira encontrou no mito do burguês enriquecido pelo trabalho e pela vida penosa um ingrediente vital. Ao contrário da burguesia agrária, que tivera de enfrentar o problema da produção e elaboração da ideologia de transição do trabalho escravo para o trabalho livre, a burguesia industrial já encontrou prontas a justificativa e a legitimação da exploração do trabalhador, ainda que com base numa concepção pré-capitalista de trabalho independente.

Foi a partir daí que a dominação burguesa se apresentou como legítima para o operário. O enriquecimento do burguês foi entendido como resultado do seu próprio trabalho, das suas privações e sofrimentos, e não como o produto da exploração do trabalhador. A dominação e a exploração burguesas passaram a ser concebidas como legítimas porque a riqueza não seria fruto do trabalho proletário, mas sim do trabalho burguês. Enfim, o trabalho que cria o capital não seria o trabalho expropriado e sim o trabalho próprio. Em conseqüência, o emprego oferecido pelo burguês passou a ser visto como a dádiva do capitalista, a oportunidade do trabalho, isto é, o acesso ao trabalho redentor — o trabalho que, ao enriquecer, liberta. O paternalismo e o populismo burgueses estão diretamente fundados nessa concepção do trabalho. O velho conde, ainda que intimamente dividido quanto à ideologia do trabalho, cultivou amplamente esse paternalismo (inclusive por sua adesão ao fascismo) para validar, também ele enquanto burguês, o componente ideológico que revestia de legitimidade a exploração do trabalhador.

3. A vida do burguês é a morte do mito

Os últimos quarenta anos de vida do conde Chiquinho foram os quarenta anos de morte do mito Matarazzo. Nesses anos todos, conforme revelou uma pesquisa feita há pouco tempo, os operários descobriram que, ao contrário do que supunham os seus companheiros da primeira metade do século, o trabalho do operário não enriquece o próprio operário. A deterioração do mito burguês foi facilitada pela constatação de que o conde rico não era a conseqüência do seu próprio trabalho.

O burguês mítico deixou de ter contrapartidas reais, pessoas vivas comprovando a sua procedência, ao contrário do que ocorria no tempo do velho conde, que expunha aos trabalhadores uma auto-biografia pontilhada de sacrifícios e mistérios, mediante a qual identificava o destino dos operários com o seu próprio. O burguês mítico expressa operacionalmente a ideologia de reprodução do capitalismo na sua fase de *expansão,* de recriadas oportunidades para recrutamento de novos burgueses pela classe dominante. A morte do burguês mítico ocorre com a emergência ampla do processo de *concentração* do capital. Foi uma longa agonia, marcada pelas vacilações da classe operária que se exprimiram numa consciência ambígua — a consciência que procurou revestir de coerência o antagonismo entre o trabalho proletário criador e a concepção burguesa do trabalho.

Terá o mito morrido sozinho? Quais os recursos que a burguesia está mobilizando neste momento para reformular a ideologia do trabalho, para instituir uma nova legitimidade na exploração da classe operária? Operários ouvidos em São Paulo alegam que o burguês mítico é inverossímil. Trabalhador para enriquecer, só com muita sorte, só ganhando na loteria esportiva ou recebendo prêmios no programa que o carismático Sílvio Santos mantém na televisão.

BIBLIOGRAFIA

A. Lalière, *Le Café dans l'État de Saint Paul (Brésil)*, August Challamel, — Éditeur, Paris, 1909.

Affonso d'E. Taunay, *Pequena História do Café no Brasil*, Departamento Nacional do Café, Rio de Janeiro, 1945.

Alves Motta Sobrinho, *A Civilização do Café (1820-1920)*, Editora Brasiliense, São Paulo, s/d.

Amador Nogueira Cobra, *Em um Recanto do Sertão Paulista*, Typ. Hennies Irmãos, São Paulo, 1923.

Amelia de Rezende Martins, *Um Idealista Realizador: Barão Geraldo de Rezende*, Oficinas Gráficas do Almanak Laemmert, Rio de Janeiro, 1939.

André Gunder Frank, "Le capitalisme et le mythe du feodalisme dans l' agriculture brésilienne", *Capitalisme et sous-développement en Amérique Latine*, trad. Guillaume Carle e Christos Passadéos, François Maspero, Paris, 1968.

Antonio Barros de Castro, *7 Ensaios sobre a Economia Brasileira*, vol. II, Forense, Rio de Janeiro/São Paulo, 1971.

Antonio Candido, *Os Parceiros do Rio Bonito*, Livraria José Olympio Editora, Rio de Janeiro, 1964.

Antonio Piccarolo, *L'Emigrazione Italiana nello Stato di S. Paulo*, Livraria Magalhães, S. Paulo, 1911.

Antonio Piccarolo, *Um Pioneiro das Relações Italo-Brasileiras (B. Belli)*, Athena Editora, São Paulo, 1946.

Augusto Ramos, *O Café no Brasil e no Estrangeiro*, Papelaria Santa Helena, Rio de Janeiro, 1923.

Azis Simão, *Sindicato e Estado*, Dominus Editora, São Paulo, 1966.

B. Belli, *Il Caffé — Il Suo Paese e la Sua Importanza (S. Paulo del Brasile)*, Ulrico Hoepli, Editore-Libraio della Real Casa, Milano, 1910.

Boris Fausto, "Expansão do café e política cafeeira", *in* Boris Fausto (org.), *História Geral da Civilização Brasileira*, tomo III, 1º volume, Difel, São Paulo, 1975.

Boris Fausto, *Trabalho Urbano e Conflito Social (1890-1920)*, Difel, São Paulo-Rio de Janeiro, 1976.

Braz José de Araújo, "Caio Prado Júnior e a questão agrária no Brasil", *in Temas de Ciências Humanas*, nº 1, Editorial Grijalbo, São Paulo, 1977.

C. F. Van Delden Laerne, *Le Brésil et Java. Rapport sur La Culture du Café en Amérique, Asie et Afrique*, Martinus Nijhoff/Challamel Ainé, La Haye-Paris, 1885.

Caio Prado Júnior, *Evolução Política do Brasil e outros estudos*, 2ª edição, Editora Brasiliense Ltda., São Paulo, 1957.

Caio Prado Júnior, "Contribuição para a análise da questão agrária no Brasil", *in Revista Brasiliense*, nº 28, março-abril de 1960.

Caio Prado Júnior, *História Econômica do Brasil*, 6ª edição, Editora Brasiliense, São Paulo, 1961.

Caio Prado Júnior, *A Revolução Brasileira*, Editora Brasiliense, São Paulo, 1966.

Carlos Jordão, "A ação dos comissários no comércio de café", *in O café no segundo centenário de sua introdução no Brasil*, 1º volume, Departamento Nacional do Café, Rio de Janeiro, 1934.

Carlos Marx, *El Capital — Crítica de la Economia Política*, 3 tomos, trad. Wenceslao Roces, Fondo de Cultura Económica, México, 1959.

Carlota Pereira de Queiroz, *Um Fazendeiro Paulista no Século XIX*, Conselho Estadual de Cultura, São Paulo, 1965.

Carlota Pereira de Queiroz, *Vida e Morte de um Capitão-Mor*, Conselho Estadual de Cultura, São Paulo, 1969.

Celso Furtado, *Formação Econômica do Brasil*, Editora Fundo de Cultura, Rio de Janeiro, 1959.

Ciro F. S. Cardoso, "O modo de produção escravista colonial na América", *in* Théo Santiago (org.), *América Colonial*, Rio de Janeiro, 1975.

Ciro Flamarion S. Cardoso e Héctor Pérez Brignoli, *Los Métodos de la Historia*, Editorial Crítica, Barcelona, 1976.

"Condições do trabalho na lavoura cafeeira do Estado de S. Paulo", *in Boletim do Departamento Estadual do Trabalho*, Anno I, ns. 1 e 2, Secretaria da Agricultura, Commercio e Obras Públicas do Estado de São Paulo, São Paulo, 1912.

Darrell E. Levi, *A Família Prado*, trad. José Eduardo Mendonça, Cultura 70 — Livraria e Editora S/A, São Paulo, 1977.

David Joslin, *A Century of Banking in Latin America*, Oxford University Press, London, 1963.

Djalma Forjaz, *O Senador Vergueiro — Sua Vida e Sua Época*, vol. I, Companhia Melhoramentos de São Paulo, São Paulo, 1922.

Edgar Rodrigues, *Socialismo e Sindicalismo no Brasil*, Laemmert, Rio de Janeiro, 1960.

Elias Antonio Pacheco e Chaves *et alii*, *Relatório Apresentado ao Exm. Sr. Presidente da Província de S. Paulo pela Commissão Central de Estatística*, Typographia King — Leroy King Bookwalter, — São Paulo, 1888.

Emília Viotti da Costa, *Da Senzala à Colônia*, Difusão Européia do Livro, São Paulo, 1966.

Emília Viotti da Costa, *Da Monarquia à República: Momentos Decisivos*, Editorial Grijalbo, São Paulo, 1977.

Emilio Sereni, *Il Capitalismo nelle Campagne*, Piccola Biblioteca Einaudi, 2ª ed., Torino, 1968.

Eric Williams, *Capitalism & Slavery*, Capricorn Books, New York, 1966.

Everardo Dias, *História das Lutas Sociais no Brasil*, Editora Edaglit, São Paulo, 1962.

F. A. Veiga de Castro, "Um fazendeiro do século passado", *in Revista do Arquivo Municipal*, Ano X, Volume XCVII, Depto. de Cultura, São Paulo, julho-agosto de 1944.

Fernando A. Novais, *Estrutura e Dinâmica do Antigo Sistema Colonial (Séculos XVI-XVIII)*, 2ª edição, Cebrap, São Paulo, 1975.

Fernando Henrique Cardoso, "Condições sociais da industrialização de São Paulo", *Revista Brasiliense*, nº 28, março-abril de 1960.

Fernando Henrique Cardoso, "O café e a industrialização da cidade de São Paulo", *Revista de História*, nº 42, São Paulo, 1960.

Fernando Henrique Cardoso, "Condições e fatores sociais da industrialização de São Paulo", *Revista Brasileira de Estudos Políticos*, nº 11, Belo Horizonte, 1961.

Fernando Henrique Cardoso, *Capitalismo e Escravidão no Brasil Meridional*, Difusão Européia do Livro, São Paulo, 1962.

Fernando Henrique Cardoso, *Empresário Industrial e Desenvolvimento Econômico no Brasil*, Difusão Européia do Livro, São Paulo, 1964.

Florestan Fernandes, *A Integração do Negro na Sociedade de Classes*, 2 vols., Dominus Editora — Editora da Universidade de São Paulo, São Paulo, 1965.

Florestan Fernandes, *Sociedade de Classes e Subdesenvolvimento*, Zahar Editores, Rio de Janeiro, 1968.

Florestan Fernandes, *A Revolução Burguesa no Brasil*, Zahar Editores, Rio de Janeiro, 1975.

Guido Maistrello, "Fazendas de café — costumes (S. Paulo)", *in* Augusto Ramos, *O Café no Brasil e no Estrangeiro*, Papelaria Santa Helena, Rio de Janeiro, 1923.

Heitor Ferreira Lima, *História Político-econômica e Industrial do Brasil*, Companhia Editora Nacional, São Paulo, 1970.

Heloisa Helena Teixeira de Souza Martins, *O Estado e a Burocratização do Sindicato no Brasil*, Hucitec, São Paulo, 1979.

Henri Lefebvre, *Pour Connaitre la Pensée de Lénine*, Bordas, Paris, 1957.

Henri Lefebvre, *La Vallée de Campan*, Presses Universitaires de France, Paris, 1963.

Henri Lefebvre, *Sociologie de Marx*, Presses Universitaires de France, Paris, 1966.

Henri Lefebvre, *Lógica Formal, Lógica Dialética*, trad. Ma. Esther Benitez Eiroa, Siglo Veinteuno de España Editores SA, Madrid, 1970.

Henri Lefebvre, *Du Rural à l'Urbain*, Éditions Anthropos, Paris, 1970.

Henri Lefebvre, *La Survie du Capitalisme*, Éditions Anthropos, Paris, 1973.

Hermínio Linhares, "As greves operárias no Brasil durante o primeiro quartel do século XX", *in Estudos Sociais*, nº 2, julho-agosto de 1958.

J. Arthur Giannotti, "Notas para uma análise metodológica de 'O Capital'", *Revista Brasiliense*, nº 29, maio-junho de 1960.

J. Pandiá Calógeras, *A Política Monetária do Brasil*, trad. Thomaz Newlands Neto, Companhia Editora Nacional, São Paulo, 1960.

J. R. de Araújo Filho, "O café, riqueza paulista", *in Boletim Paulista de Geografia*, nº 23, Associação dos Geógrafos Brasileiros, São Paulo, julho de 1956.

Jayme Adour da Camara, *Salvador Piza (O homem e o lavrador)*, S. Paulo, 1940.

Joaquim Silverio da Fonseca Queiroz, *Informações Úteis sobre a Cafeicultura*, Estabelecimento Graphico "Universal", S. Paulo, 1914.

José César Gnaccarini, *Formação da Empresa e Relações de Trabalho no Brasil Rural*, tese de mestrado apresentada à Cadeira de Sociologia I da Faculdade de Filosofia, Ciências e Letras da Universidade de São Paulo, São Paulo, 1966.

153

José César Aprilanti Gnaccarini, *Estado, Ideologia e Ação Empresarial na Agroindústria Açucareira do Estado de São Paulo*, tese de doutoramento apresentada ao Departamento de Ciências Sociais da Faculdade de Filosofia, Letras e Ciências Humanas da Universidade de São Paulo, 1972.

José C. Gnaccarini, "A economia do açúcar. Processo de trabalho e processo de acumulação", *in* Boris Fausto (org.), *História Geral da Civilização Brasileira*, vol. III, tomo I, Difel, São Paulo, 1975.

José Maria Whitaker, *A administração financeira do Governo Provisório de 4 de novembro de 1930 a 16 de novembro de 1931*, E. G. Revista dos Tribunais, São Paulo, 1933.

José Sebastião Witter, *Um estabelecimento agrícola da Província de São Paulo nos meados do século XIX*, Coleção da "Revista de História", vol. L, São Paulo, 1974.

José de Souza Martins, *A Imigração e a Crise do Brasil Agrário*, Livraria Pioneira Editora, São Paulo, 1973.

José de Souza Martins, *Capitalismo e Tradicionalismo*, Livraria Pioneira Editora, São Paulo, 1975.

José de Souza Martins, *Conde Matarazzo — o Empresário e a Empresa*, 2ª edição, 2ª reimpressão, Hucitec, São Paulo, 1976.

Karl Kautski, *A Questão Agrária*, trad. C. Iperoig, Gráfica Editora Laemmert SA, Rio de Janeiro, 1968.

Karl Marx, *Contribution a la Critique de l'Économie Politique*, trad. Maurice Husson e Gilbert Badia, Éditions Sociales, Paris, 1957.

Karl Marx, "O 18 Brumário de Luís Bonaparte", *in* K. Marx e F. Engels, *Obras Escolhidas*, volume I, Vitória, 2ª edição, Rio de Janeiro, 1961.

Karl Marx, *Pre-Capitalist Economic Formations*, trad. Jack Cohen, edição e introdução de E. J. Hobsbawm, Lawrence & Wishart, London, 1964,

Karl Marx, *Un Chapitre Inédit du Capital*, trad. de Roger Dangeville, Union Générale d'Éditions, Paris, 1971.

Karl Marx, *Texts on Method*, org. e trad. de Terrel Carver, Basil Blackwell, Oxford, 1975.

Karl Marx e Friedrich Engels, *L'Idéologie Allemande* (Première partie: Feuerbach), trad. Renée Cartelle, Éditions Sociales, Paris, 1962.

Karl Marx e Frederick Engels, *Selected Correspondence*, Progress Publishers, Moscow, 1965.

Leslie Bethell, *The Abolition of the Brazilian Slave Trade* (Britain, Brazil and the Slave Trade Question: 1807-1869), Cambridge, at the University Press, 1970.

Louis Couty, *L'Esclavage au Brésil*, Librairie de Guillaumin et Cie., Éditeurs, Paris, 1881.

Louis Couty, *Étude de Biologie Industrielle sur le Café*, Imprimerie du "Messager du Brésil", Rio de Janeiro, 1883.

Louis Couty, *Ebauches Sociologiques: Le Brésil en 1884*, Faro & Lino — Editeurs, Rio de Janeiro, 1884.

Manuel Bernardez, *Le Brésil — sa vie, son travail, son avenir*, Buenos Aires, 1908.

Maria Isaura Pereira de Queiroz, "A estratificação e a mobilidade social nas comunidades agrárias do Vale do Paraíba entre 1850 e 1888", *in Revista de História*, ano I, nº 2, São Paulo, abril-junho de 1950.

Maria Paes de Barros, *No Tempo de Dantes*, Editora Brasiliense Ltda., São Paulo, 1946.

Maria Sílvia C. Beozzo Bassanezi, "Absorção e mobilidade da força de trabalho numa propriedade rural paulista (1895-1930)", in *O Café — Anais do II Congresso de História de São Paulo*, Coleção da "Revista de História", vol. LIX, São Paulo, 1975.

Maria Stella Martins Bresciani, "Suprimento de mão-de-obra para a agricultura: um dos aspectos do fenômeno histórico da abolição", in *Revista de História*, vol. LIII, ano XXVII, n° 106, São Paulo, abril-junho de 1976.

Maria Sylvia de Carvalho Franco, *Homens Livres na Ordem Escravocrata*, Instituto de Estudos Brasileiros-USP, São Paulo, 1969.

Maria Tereza Schorer Petrone, *A Lavoura Canavieira em São Paulo*, Difusão Européia do Livro, São Paulo, 1968.

Maria Thereza Schorer Petrone, *O Barão de Iguape (Um empresário da época da Independência)*, Companhia Editora Nacional, São Paulo, 1976.

Mario Ramos, *A Illusão Paulista*, Rio de Janeiro, 1911.

Maurício Vinhas de Queiroz, "Notas sobre o processo de modernização no Brasil", in *Revista do Instituto de Ciências Sociais*, Universidade Federal do Rio de Janeiro, vol. 3, n° 1, janeiro-dezembro de 1966.

Maurício Vinhas de Queiroz, *Grupos Econômicos e o Modelo Brasileiro*, mimeo., Brasília, 1972.

Max Leclerc, *Lettres du Brésil*, E. Plon, Nourrit et Cie., Imprimeurs-Éditeurs, Paris, 1890.

Michael M. Hall, *The Origins of Mass Immigration in Brazil, 1871-1914*, Ph. D. Thesis, Columbia University, 1969.

Michael M. Hall, *The Italians in São Paulo, 1880-1920*, mimeo., 1971.

Michael M. Hall, "Aproaches to Immigration History", in Richard Graham e Peter H. Smith (org.), *New Approaches to Latin American History*, University of Texas Press, Austin and London, 1974.

Michael M. Hall, "Reformadores de classe média no império brasileiro: a Sociedade Central de Imigração", in *Revista de História*, vol. LIII, n° 105, janeiro-março de 1976.

Miriam Lifchitz Moreira Leite, "Uma pequena propriedade produtora de café, em Guaratinguetá, no século XIX", in *O Café — Anais do II Congresso de História de São Paulo*, Coleção da "Revista de História", vol. LIX, São Paulo, 1975.

Myriam Ellis (org.), *O Café — Literatura e História*, Edições Melhoramentos — Editora da Universidade de São Paulo, São Paulo, 1977.

Nazareth Prado, *Antonio Prado no Império e na República*, F. Briguiet & Cia. — Editores, Rio de Janeiro, 1929.

Nelson Werneck Sodré, *História da Burguesia Brasileira*, segunda edição, Editora Civilização Brasileira, Rio de Janeiro, 1967.

Odilon Nogueira de Matos, "O Visconde de Indaiatuba e o trabalho livre em São Paulo", in *Anais do VI Simpósio Nacional dos Professores Universitários de História* ("Trabalho livre e trabalho escravo"), volume I, Coleção da "Revista de História", São Paulo, 1973.

Octavio Ianni, *As Metamorfoses do Escravo*, Difusão Européia do Livro, São Paulo, 1962.

Octavio Ianni, *Raças e Classes Sociais no Brasil*, Civilização Brasileira, Rio de Janeiro, 1966.

Octavio Ianni, *A classe operária vai ao campo*, Cebrap, São Paulo, 1976.

Paula Beiguelman, *A Formação do Povo no Complexo Cafeeiro: Aspectos Políticos*, Livraria Pioneira Editora, São Paulo, 1968.

Paul Walle, *Au Pays de l'Or Rouge — l'État de São Paulo (Brésil)*, Augustin Challamel — Éditeur, Paris, 1921.

Pierre Denis, *Le Brésil au XX.e Siécle*, 7e. tirage, Librairie Armand Colin, Paris, 1928 (1ª edição: 1908).

Pierre Monbeig, *Pionniers et Planteurs de São Paulo*, Librairie Armand Colin, Paris, 1952.

Pierre-Philippe Rey, *Les Alliances de Classes*, François Maspero, Paris, 1976.

Reginald Lloyd *et alii.*, *Impressões do Brasil no Século Vinte. Sua História, seo povo, commercio, industrias e recursos*, Lloyd's Greater Britain Publishing Company Ltda., Londres, 1913.

Relatorio Annual do Instituto Agronomico do Estado de S. Paulo (Brazil) em Campinas — 1894 e 1895, volume VII e VIII, publicado pelo Director Dr. phil. F. W. Dafert, M. A. Typographia da Companhia Industrial de S. Paulo, S. Paulo, 1896.

Richard Graham, *Britain and the Onset of Modernization in Brazil: 1850-1914*, Cambridge, at the University Press, 1968.

Robert Foerster, *The Italian Emigration of Our Times* (1ª edição: 1919), Russel & Russel, New York, 1968.

Roberto C. Simonsen, *Evolução Industrial do Brasil*, Federação das Indústrias do Estado de São Paulo, julho de 1939.

Rodrigo Soares Júnior, *Jorge Tibiriçá e sua Época*, 2 volumes, Companhia Editora Nacional, São Paulo, 1958.

Roger Bastide e Florestan Fernandes, *Brancos e Negros em São Paulo*, 2ª edição, Companhia Editora Nacional, São Paulo, 1959.

Rosa Luxemburg, *A Acumulação do Capital*, trad. Moniz Bandeira, Zahar Editores, Rio de Janeiro, 1970.

Sérgio Milliet, *Roteiro do Café e Outros Ensaios*, 3ª edição, Coleção Departamento de Cultura, São Paulo, 1941.

Sergio Silva, *Expansão Cafeeira e Origens da Indústria no Brasil*, Alfa-Ômega, São Paulo, 1976.

Stanley J. Stein, *Grandeza e Decadência do Café no Vale do Paraíba*, trad. Edgar Magalhães, Editora Brasiliense, São Paulo, 1961.

Thomas Davatz, *Memórias de um Colono no Brasil (1850)*, tradução, prefácio e notas de Sérgio Buarque de Holanda, Livraria Martins, S. Paulo, 1941.

Thomas H. Holloway, "Condições do mercado de trabalho e organização do trabalho nas plantações na economia cafeeira de São Paulo, 1885-1915 — Uma análise preliminar", in *Estudos Econômicos*, volume 2, nº 6, IPE-USP, São Paulo, 1972.

Vincenzo Grossi, *Storia della Colonizzazione Europea al Brasile e della Emigrazione Italiana nello Stato di S. Paulo*, Societá Editrice Dante Alighieri di Albrighi, Segati & C., Milano-Roma-Napoli, 1914.

Visconde de Mauá, *Autobiografia ("Exposição aos credores e ao público")*, Edições de Ouro, Rio de Janeiro, 1964.

Warren Dean, *The Industrialization of São Paulo, 1880-1945*, University of Texas Press, Austin & London, 1969.

Warren Dean, *Rio Claro — A Brazilian Plantation System, 1820-1920*, Stanford University Press, Stanford, Cal., 1976.

Warren Dean, "A pequena propriedade dentro do complexo cafeeiro: sitiantes no Município de Rio Claro (1870-1920)", *in Revista de História*,
vol. LIII, nº 106, São Paulo, 1976.

Wilson Cano, *Raízes da Concentração Industrial em São Paulo*, Difel, Rio de
Janeiro-São Paulo, 1977.

Impresso na Oficina de
A Tribuna de Santos - Jornal e Editora Ltda.
Rua João Pessoa n.º 347 - Telefone 32-8692
Santos